うつを改善する食事力

昇 幹夫
産婦人科医・麻酔科医
「日本笑い学会」副会長

渡辺雅美
栄養士
「日本笑い学会」理事

春陽堂

はじめに

病気になったらお医者さんのところに行って、診てもらいますね。話を聞いて血液や尿などの臨床検査をして、身体所見と検査データで診断を受けるのが本来です。ところが今や、患者が一〇〇万の国民病ともいわれ、社会的損失が三兆円に達するとされる『うつ病』は、テレビでこころのかぜなどといわれ、クリニックを受診すると話だけ聞いて、それはうつですね、いいお薬があるからと、安易に抗うつ薬を処方してくれます。実はこの薬がひと月で依存症になり、三分の一は効果がないばかりか、自殺や殺人事件にも関係する恐ろしい副作用があることもわかってきました。抗うつ薬に精通している専門の精神科医では手が足らないくらい患者が急増、その結果、一般内科医、産婦人科の更年期外来まで薬品メーカーのいうがまま、安易に抗うつ薬が処方され大変な問題がおきているのです。

薬を飲んで休めば治るという簡単な問題ではない。薬の前に食事でうつを改善できることがわかってきて、それを実行したところかなりの改善をみて、再発も少ないことがわかってきました。また診断も問診だけでなく、血液検査でからだにどういう物質が不足しているのか、検査することもできるようになりました。生活習慣の乱れも多く、例えば糖尿病をコントロールすることで、うつも改善したという例もあります。診断も光トポグラフィーという日本で開発された頭に近赤外線をあてて検査をすることで、双極性障害（以前、躁うつ病といわれていたもの）とうつ病の鑑別が簡単につくようになりました。それぞれで治療薬が違いますが、従来はそうの期間が短く、うつが長いタイプの双極性障害は、悪いときに受診するので『うつ』と診断されて、抗うつ剤を処方され一向に治らないという症例もあることがわかってきました。

人のからだは食べたものによって作られます。うつは脳の中のセロトニンという物質が少なくなるために起こるという仮説のもとに、これを増やす新薬（ＳＳＲＩ・ＳＮＲＩ）がたくさん使用されてきました。でもセロトニンはトリプトファンという必須アミノ酸から腸で合成されますが、うつのためにほとんど食べない状況が続くと作れなくなりますね。もし食事でそれが取れたとしても、腸内細菌の状態が悪いと合成できません。薬でセロトニンを増やそうとしても、体内で作れなければ足りなくなるのは誰でもわかることです。でも、大半の医療関係者は食のことについて、ほとんど教わっていませんし、知らないのが実情です。食の誤りは病気を引き起こす、だから食で治すという発想がないのです。

うつにもいろいろあります。例えば「季節性うつ病」、正しくは季節性情動障害というのですが日照時間が短くなることに原因があるといわれ、冬に多く高緯度地域に発症しやすいうつは、同じ原因でしょうか。またC型肝炎の治療薬としてインターフェロンが使われますが、この薬の副作用にうつを引き起こすとあります。するとセロトニン減少という単純なことだけではすべてのうつを今の時点では、説明しかねます。

この本で紹介する例のように食でうつを改善したという例が最近、国立精神・神経医療研究センターでも発表されているように、副作用のない、再発しない、薬に頼らない食養生はぜひ、試してみる価値があると思います。そしてこれを機にあらためて自分の食生活、生き方を見直し、改善するチャンスにすることをおすすめします。

この原稿を書いている二〇一三年一月、映画監督、大島渚氏（享年八〇歳）の訃報がはいりました。六四歳の時に脳出血で倒れ、右半身マヒ、言語障害。奥さんの小山明子さんは介護疲れからうつになり、二ヶ月で一五kgも体重が落ち、家族に死にますと電話して死に場所をさがして電車に乗ったそうです。厚労省の調べでは四人にひとりが、介護うつになるといいます。責任感の強い人ほど介護と家事を同時にこなさなければ追いつめられてしまう傾向になってしまうのです。小山明子さんも入院治療を受け回復しました。監督はリハビリの甲斐あって再び、映画監督として復帰し、遺作となる『御法度』を完成、二〇〇〇年三月にカンヌ映画祭に夫婦で参加しました。その年、再び監督は多発性脳梗塞を起こし、要介護五になってしまいました。大島監督は性格が豹変、ダダっ子のようになり小山明子さんもうつを再発し、四年間、入退院を繰り返したそうです。そしてアルフォンス・デーケンさんの名著『よく生きよく笑いよき死と出会う』という本の中の「過去の執着を切り離しなさい」という言葉でふっきれたとか。自分のうつを公表し、夫の介護手記を赤裸々に書いた『パパはマイナス50点』・『しあわせ介護』を出し、講演で体験談も語るようになりました。その中で介護うつにならないコツをこう書いていました。

①自分の時間を持つ

②一日一日を楽しむ（つらいときこそユーモアで乗り切る）

③お互い『ありがとう』を忘れない

④ひとりで抱え込まない

そして　家族と友達とまわりの確かなサポートがあってこそここまでこれました。私ひとりだったらとてもここまでこられなかったと思うと述べています。

どんな人でも何かをきっかけにうつになりうる時代です。そんなとき、気易く薬に走らないで、食生活を含め自分自身を見つめ直す機会にしてください。

一〇一歳の詩人、一月二〇日に亡くなられた故・柴田トヨさんの『くじけないで』という詩集は二〇一〇年に出版された時、詩集としては異例の一五〇万部を記録しました。翌年におこった東北大震災の被災地でも、この詩で元気になったという声を多く聞きました。

ふたつ紹介します。

くじけないで

ねぇ不幸だなんて　溜息をつかないで
陽射しやそよ風はえこひいきしない
夢は平等にみられるのよ
私　辛いことがあったけど
生きてきてよかった
あなたも　くじけずに

貯金

私ね　人から　やさしさをもらったら
こころに貯金をしておくの
さびしくなった時は
それを引き出して元気になる
年金よりいいわよ
あなたも今から積んでおきなさい

目次

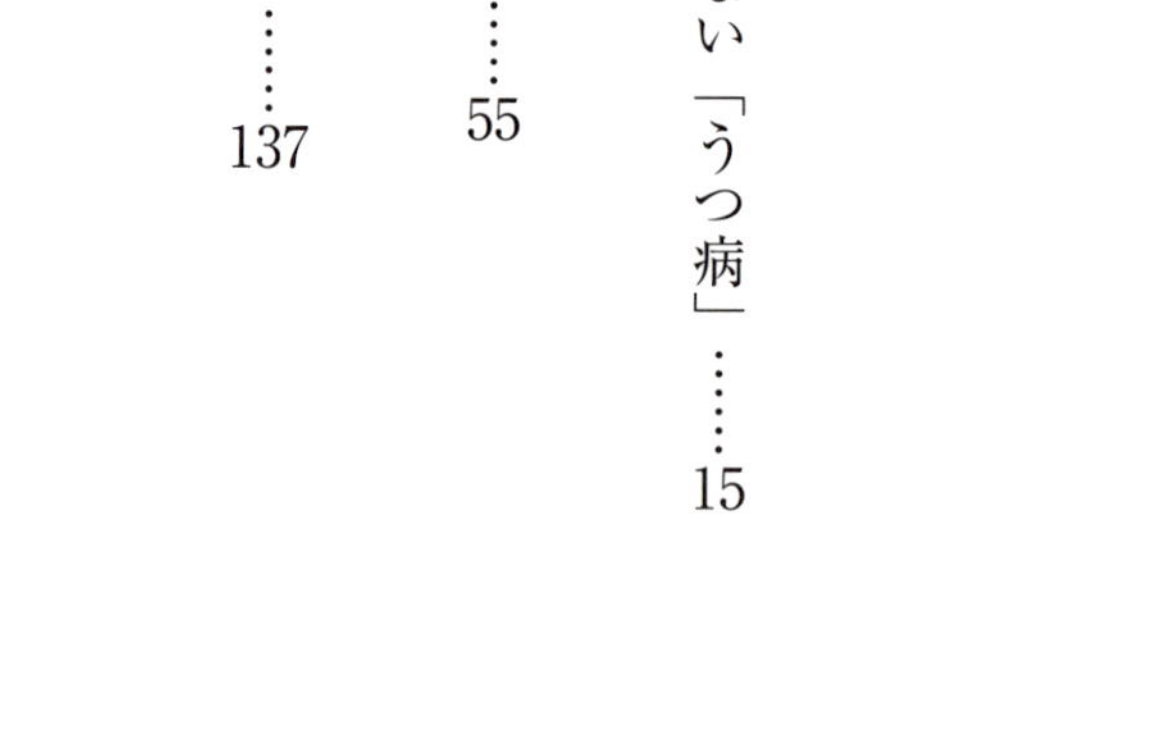

にんにく

春菊

イラスト・若林 佳子

こころのカゼなんかじゃない「うつ病」

こころのカゼなんかじゃない『うつ病』

敵を知り己を知らば百戦危うからず、これはその昔、孫子の兵法といって戦いの極意を書いた書物の一節です。うつの正体を知らなければ戦いようがないでしょう。

「うつ」、漢字で書くと鬱、見ただけで憂鬱になりそうな字でしょう。まさにその抑うつ気分が続き、何をやっても楽しくない。その結果、眠れない、横になってもどうしようもないくらいのだるさ、疲れやすさがあります。そして何も食べたくないのが続いて痩せてきます。挙句の果てに死にたい、生きていても仕方がないと思うようになるといった症状をともないます。これが米国精神医学会の診断基準なのです。日本でも同じで、これだけ患者さんが急増し今や、一〇〇万人を突破して国民病とまでいわれていて、精神科の専門医師では間に合わず、一般の臨床医でも、たったこれだけの診断基準でうつの病名がつけられ、臨床検査もせず、即、向精神薬が処方されて薬漬けになり、さらに依存症になってしまう現状があります。そして海外では原則一薬剤だけの処方にもかかわらず、薬が効かないときドクターショッピングをして何種類もの薬剤を処方される。これは日本だけのようです。そのため副作用と考えられる自殺や殺人事件につながったと考えられる症例が後をたちません。

それではどんな性分の人が、**うつになりやすいのか**というと、俗にいう心配性、すぐに悪いほうに考える癖のある人ですね。そして世間の目をいつも気にするタイプで、完璧主義の人は危ないです。中年クライシスという言葉を聞いたことがあるでしょう。超まじめで仕事もきちんとして、バリバリ会社でがんばってる人ほど、弱音をはけない。そんなことをしたら負け組になってしまうと仕事第一主義でやってた方が、課長に昇進した頃から、仕事でつまずいてそれを苦に出社できなくなり、うつ病と診断されるという典型的な例があります。

また体調が悪いからと受診して、ガンといわれてうつになった例。女優の音無美紀子さんは三八歳のとき乳がんといわれ、その後、うつ病になりました。そのとき、たちなおるきっかけをくれたのが家族だったとその著作の中で述べています。ガンとうつ、やはり死を意識させる病気のときにうつが発症しやすいのです。

次に、つれあいを亡くすことでうつになったという人もいます。いずれも大事なものを失うという**喪失体験**がきっかけでうつ病になるようです。

世界各国で自殺が一番という国はどこだと思いますか？　お隣の韓国

です。日本の一・五倍の数で、ひと昔前の日本の商社マンたちが世界で活躍していたとき、その陰で慣れない他国との営業に疲れ果て、うつになって帰国という例があとを絶ちませんでした。

いま、韓国が同じような道を歩み始めていると考えられます。テレビのニュースでも韓国の受験戦争の話がよく取り上げられますね。日本以上に韓国も厳しい競争社会です。その結果が自殺第一位という結果になっています。それでは自殺の少ない国はどこでしょう。

メキシコ、ブラジルなどのラテン系の諸国ですね。ヨーロッパではイタリア、スペインです。ヨーロッパでもっと少ないのがあのギリシャです。経済的には破綻寸前の国々でしょう。でも国民はちっとも気にしてないのです。ノー天気としかいいようがない。

日本笑い学会理事でもあり、世界四〇か国を旅した英語とスペイン語に堪能な通訳ガイド、志緒野マリ理事はそれぞれの方々とじかに接して自殺率とネアカ度ははっきり相関性があると二〇〇一年七月に福岡市で開催された第八回日本笑い学会総会での発表のなかでおっしゃっています。北国は暗くて自殺が多く、南の国は明るく自殺も少ない傾向があるとか。もっとも暗い印象があったのがフィンランドで、ギャグを言ってもちっとも笑わず、かえってそれをメモするそうです。その対極がラテン系でヨーロッパのヤンチャトリオ国がポルトガル・スペイン・イタリアだとか。その明るいスペインをもしのぐ明るさがメキシコ、白人文化より先住民文化の色が濃いコロンビア・エクアドルで、自殺率は北欧圏の一〇分の一、ちなみに日本はその中間です。十年前に彼女が六年ぶりのメキシコを訪問したときの話です。

このとき、メキシコは経済危機のまっただなかでした。ホストファミリーのとこにきていたコミック雑誌の作家とその友人で建築家の会話の内容はかなり暗かったそうですが、口調はまったく暗くなくてこんな具合だとか。

「どう、最近仕事の方は？」

「いやぁ、さっぱりだよ。もう一年半、まったくひとつの仕事もないいんだから」

「君もそうか。僕もこの一年半、仕事が無いんだよ、ハッハッハ」

「いや、まったく、この経済危機は深刻だね。君も同じで安心したよ。ハッハハ。ところで来週の日曜に一緒にピクニックに行かないか」

「そりゃいいねぇ。ぜひ行こうよ」

とこのあと、ピクニックの話題で盛り上がったそうです。語ってくれた志緒野さんはとてもついていけないといってましたが、一年もホームステイするうちに、人生は楽しむものというメキシコ人の生き方に共感して、日本人の方が少し彼らを見習ったほうがいいのではと考えるようになったと言います。

また日本だけでなく米国やカナダでも日本映画『フーテンの寅さん』はとても有名で、日本語がわからないにもかかわらず、あの映画をみて笑ったり泣いたりして寅さんの人生にあこがれる人が米国では多いのです。ところが同じ映画を見て、寅さんの人生にあこがれる人の気持ちがわからないといった国の留学生がいました。どこだと思いますか？

ブラジルから来た留学生がいいました。「ブラジルには寅さんみたいなのはいっぱいいる。どうしてあれがいいのか、わからない」とぼやいていました。やはり風土と国民性、名著『風土論』を書いた和辻哲郎氏の卓見は当たっているのかもしれません。

ここあたりにうつ病にならない生き方のヒントがあると思います。

会社というところはいいときもあれば悪い時もあります。いつだって右肩あがりというわけにはいきません。バブルのときに頑張りすぎた人たちが、世界的不況の波をかぶり組織の統廃合の結果、冷や飯を食わされ窓際に追いやられ、我慢しているうちに、やる気が失せて向上心も無くしてしまう、これを「錆びつき症候群」といって、うつ病、自殺予備軍だと精神科の関谷透先生はおっしゃいます。それではその自己チェック法を次に紹介します。いくつあてはまるか、自分を見つめ直す機会にしてください。（図1）

図１　あなたの錆びつき度をチェック！

以下の質問について当てはまるところにチェック☑印をつけてください。

□１　周囲はあなたをエリートだと思っている
□２　優秀で仕事もできるほうだ
□３　まだまだ働き盛りだ
□４　任された仕事は自分一人でやろうとするほうだ
□５　今の職場では実力を発揮する場がないと思う
□６　なぜか、周囲からあまり評価されなくなった
□７　過去に仕事の失敗で、自尊心が傷ついたことがある
□８　向上したいとは思うが、どうも意欲がわかない
□９　「まあ、いいか」とあきらめることが多くなった
□１０　頑張ることに、あまり意欲を感じなくなった

８以上：要注意
３以下：正常
４〜７；予備軍　　という判定です。

それでは**うつ病患者がどういうときに自殺をはかるのか、**これはとても大切なことだからぜひ知っておいてください。それは回復期です。うつの一番ひどいときには、自殺する元気もないのです。一番ひどいときは、一目みて、これがあの人かと信じられないような暗いぞっとする顔をしています。ちょっとよくなって少し仕事をしてみたら以前のようにうまくいかない。するといっそう挫折感がひどくなり、また家族もよくなってきたので監視の目をゆるめてしまい、自殺にいたった例が数多くあります。とくに以前一度でも自殺未遂をしたことのある人はまたくりかえす可能性が高いのです。

うつの患者さんは死にたいという気持ちと助けてという気持ちのあいだでたえず揺れています。自分の死にたいほど苦しい胸の内をわかってもらいたい、共感してほしいという思いでいのちの電話に手をのばします。そんなとき、あなたならどうしますか？「なに馬鹿なこといってるの」などと叱ったりすると、あぁこの人はわかってくれないと感じてプツンと電話を切って、貝のように心をとざし自殺に追いやってしまいます。励ますのも厳禁です。

そんなときは、ただただ辛抱強く聞いてあげるだけ。アドバイスはいりません。

「つらいの」、「そうつらいのね」と共感してオウム返しでいいのです。ときには手を握り抱きしめて一緒に泣いてあげる。顔みただけで、声を聞いただけでホッとする人がいるでしょう。これを「ホッとライン」と名付けました。やはりふたりほしいですね。いつでもその人がいるとは限らないから。でも配偶者はいけません。夫婦は一般的に同志にはなりにくいものです。どちらかというと夫婦は修行の場ですね。

『上をむいて歩こう』は坂本九ちゃんのヒット曲です。彼は一九八五年八月の日航機墜落事故で突然、亡くなりました。奥さんの柏木由紀子さんは夫の突然の訃報で気が動転して放心状態が長く続きました。日が経つにつれ九ちゃんの笑顔、楽しかった体験がたくさん思い出され、思わず知らず涙があふれとまらなくなり、ミッドナイトコールしたそうです。それを黙ってじっと聴いてくれたのが、あのおしゃべりで有名な黒柳徹子さんだったとか。意外でしょう。突然の真夜中の電話にもかかわらず、うんうんといいながら、明け方までじっと聴いてあげたそうです。一切、励ましたりアドバイスなどをせずにしっかりただただ聴くだけ。それがどんなにありがたかったか、一〇年以上たってあらためてお礼をいいたいと柏木さんはなにかの本にそのときのことを語っているのを読みました。だから『徹子の部屋』という三〇年以上の長寿番組になってるのも彼女の聞き上手の証しだと思います。**傾聴**こそ心の危機を救ってくれる一番の薬なのです。

ところで都道府県別でみたとき、自殺率が高い県はしばしば話題になりますが、全国で自殺率が一番低いところはどこだと思いますか？

奈良県です。二〇一一年の自殺者は一〇万人あたり全国平均二四・一人ですが奈良県は一七・四人でした。もうひとつ、奈良県の宗教者（僧侶・神職・牧師ら）は約二万八〇〇〇人で全国一。県内のそれらの施設二〇〇〇か所のうち、六割が人々の悩み相談を聞く窓口を置いていました。これまでに自殺を考えたことがあると答えた奈良県の三〇五人のうち、一七人（五・六％）が自殺を思いとどまった理由として、宗教に助けられたと答えました。ちなみに近畿で自殺が一番多い和歌山県（一〇万人あたり二四・五人）では、自殺を考えたことがあると答えた一三三人のうち、二人（一・五％）だけが宗教のおかげと答えました。やはり奈良の自殺はセーフティネットとして、大仏さんがお救いしてるのかもしれませんね。

ひるがえって三時間待って三分診療という日本の医療の現場に**傾聴**がありますか？

うつの患者さんほど、こころの悩みを一番聴いてほしいと思っているはずですね。参考までに、もしかして自殺するのでは？　というシグナルを精神科医の高橋祥友先生がまとめているので紹介します。（**図2**）

図2　自殺の「危険サイン」

1　自殺をほのめかす

●「誰も知らないところに行きたい」「疲れてしまった」「寝たら、二度と目がさめなければいい」などと言う。

★「自殺する」「死ぬ」と直接的に言うことはさらに危険。

2　別れの用意をする

●大切な持ち物を友人にあげてしまったり、日記や写真を処分することなど。

3　危険な行為をくり返す

★急に車道に飛び出すなど、事故につながりかねない行動をくり返す。

4　態度が急に変わる

●これまで関心のあったことへの興味を失う。

●友人との交際をやめる。

●注意散漫になる。

●いつもなら簡単な課題が達成できない。

●成績が落ちる。

●勤務先（学校）を休みがちになる。

●不安やイライラがつのり、落ち着きがなくなる。

●気分が変わりやすくなる。

●身だしなみを気にしなくなる。

●健康や自己管理がおろそかになる。

●不眠、食欲減少、体重減少などの体の不調を訴える。

★投げやりな言動が目立つ。

★自分より幼い子供や動物を虐待する。

★自殺についての文章や絵をかく。

5　自分を傷つける

●首をくくる、ビルから飛び降りるなど、すぐ死に直結するものだけではなく、手首を浅く切る、薬を数錠飲むなど、死ぬ危険性の少ないことも含む。

それではどんな治療をするのでしょうか。

まず**休む**ことです。仕事をしながら治療することは不可能です。環境因子はとても大事です。まず**気休め**、気持ちを楽にするには仕事の現場から離れること。そして**骨休め**、横になってこころも体もやすめることです。できれば大自然の中でボーッとするのが一番かもしれません。そしてどこにもこれまでの教科書に書いてない**箸やすめ**です。どんなものを食べてきましたか？

この機会に自分の食生活をふりかえってください。どんなものを食べてきましたか？


とりあえず、ガソリン補給という、エサとしかいいようのない食事だったのではありませんか。食事の質というのを考えて食べないとよくなりません。だってひとのからだは食べたものによって作られているのですからね。だから「食」というのは人を良くするとも読めるんです。食べ方の誤りが病気を作り、食が病いを癒すのです。食は三大本能のひとつ。

三大本能を知ってますね。食欲、性欲、日光浴？　いや、なんだったけ。

そう集団欲です。

ひとはひとりでは生きられないのです。

食卓の現状

ふだん、普通のおうちではどんな食事をしているのか、知りたいとは思いませんか？

ありのままの食卓を大規模に調査した貴重な記録があります。実は家庭の食卓は驚くべき変化をとげています。

例えばこれは**「切り札型」**と呼ばれる食事

うどんに野菜ジュース、ラーメンに納豆など健康によいと思われる食品が切り札として一品添えてあるのが特徴です。こうした食事は料理に手をかけたくない親が栄養を補う気休めとして分析されています。

次は**「バラバラ食」**、家族が一緒に食卓を囲んでいてもそれぞれが好きなものを食べている食事です。この夕食、父親のおかずは煮物ですが、母親はサラダとワカメスープだけ。そして子供は大好きなサクランボととうもろこしだけです。

そして見逃せないのが年々、増えている**「好きなものだけ型」**、子供の好きなものだけ食べさせる食事です。あるお宅の子供の朝食は、その子の大好きなプチケーキとみかんです。また別の子供の朝食は冷凍食品のタコヤキだけです。さらにまた別のお宅ではせんべいやチョコパイといった大好物のお菓子が食事代わりに並んでいます。

バランスの食事ではなく、好きなものだけでもいいからなんとか子供に食べてもらう、そんな親の後ろ姿が浮かび上がってきます。子供と食卓で嫌いなものを食べさせるためにいろいろやり取りをするのは、自分に取ってストレスになる。そんなにして泣かれてまでというよりは好きなものを与えてしまおう。そこでケンカになるよりも好きなものにしてしまおう、そんな親の心理が前面にでています。その詳細データは、私の友人、東京の広告会社に勤める岩村暢子さんの著作、『家族の勝手でしょ！ 写真274枚で見る食卓の喜劇』（新潮社刊）をお読みください。東大名誉教授、辛口評論でも有名な養老孟司先生が、そのデータの信頼度の高さに驚き、激賞しています。国や企業、マスコミが発表するデータには多くの場合、施行者の意図があることが多いのですが、これはまさに今の日本の家族を映した鏡とおっしゃっています。

ここでもうひとつすさまじいデータを紹介します。二〇一〇年に写真調査した東京の有名大学三回生女子二〇〇数十人の食卓の様子です。その八五％がこのような状態だそうです。

一〇月一四日（木）

朝七時　スニッカーズ（チョコレート）二個、パン、バナナ、ヨーグルト　朝ペットボトルのお茶を買って終日、これを飲む。

一五時三〇分（昼食）　パン、まんじゅう、グレープフルーツジュース

二三時（夕食）　ごはん・マグロ（ちなみにごはんは自分で炊いていません）

夜中の一時（夜食）　アイスクリーム

一六日（土）

朝六時　パン・キウイ・豆乳・ゴマをかけた大学芋（ゴマは健康にいいと聞いて、これだけ別に買ってきて一袋全部、かけて食べた）

一二時半（昼食）菓子パン二個、アロエジュース

二三時三〇分（夕食）　トマト・きゅうり

二四時（夜食　ワカメ・クラゲ・パイナップル

一七日（日）

朝六時パン・キウイ・豆乳・まんじゅう（昨日の残り）・パイナップル・クッキー　終日　ペットボトルのお茶

二三時　ごはん・納豆

一時三〇分　アイスクリーム・豆乳・梨

二〇一二年八月総務省家計調査によれば、長年、減少の一途をたどっている家庭のコメの購入額が二〇一一年には一世帯（二人以上の世帯）あたりの購入金額が、初めてパンの額を下回ったというのです。このことをどう考えますか。戦後のお米を取り巻く歴史からふりかえってみます。まず一九五〇年代から六〇年代にかけ、政府がお米中心の食生活を是正しようとしました。「コメでは頭のいい子に育たない。それより欧米人のようにパンを、もっと肉と油と取りなさい」という指導を全国にしました。そして一九六〇年代には、学校給食でパンを食べるようになりました。ごはんや麺類と違って、パンは水を飛ばして作る食べ物ですから、必ず食べるときには飲み物か油が必要となります。脱脂粉乳から始まって学校給食には牛乳というセットメニューが生まれました。

パンがコメを上回った裏には決して、コメ嫌いになったわけではない。

もっと根深い日本の家族の崩壊というものがあります。

ではどうしたら自分のごはんは自分で作れるようになるでしょう。三歳から七歳までは模倣の年齢といわれます。なんでもまねたがります。なぜ、どうしてという判断なしにただただ、親がやっていることを自分でもしてみたいときです、という話を講演でしたら、あるお母さんがおっしゃいました。「先生、ホントにそうですね。うちの五歳の娘は冷蔵庫の下の段を手であけて足で閉めます！」とおっしゃってました！キッチンでお料理をしてる姿を見せるときっとやりたがります。その時がチャンスです。そのとき、少しずつやらせると、結構上手になり、自分の作ったものを親が美味しいねと褒めてあげると自信がついてますます上達します。ＮＨＫ教育テレビで子どものお料理番組がスタートしたとき、監修したのが神戸の坂本キッチンスタジオの坂本廣子さんです。彼女のお子さんは生後一一か月から包丁をもったというからすごいでしょう。それで彼女の著作に『坂本廣子の台所育児　一歳から包丁を』（社団法人農村漁村文化協会刊）という本があります。まだ小さいからではなくて、きちんと教えるとかなりのところまでできるようになります。二〇一二年のベストセラー、『はなちゃんのみそ汁』（文藝春秋刊）という本をご存じですか。ガン闘病後に奇跡的に妊娠、出産したママは、いつかこの子を残して旅立たなければいけないと覚悟して、はなちゃんが三歳くらいから簡単な家事、保育園に行く用意などすべて自分でできるようにしつけました。でもお料理は自分がやった方が早いし、まだ早いかもと思っていた時に、再発、余命半年の宣言を受けたのです。

それからママのはなちゃんに対する特訓がはじまりました。毎朝、鰹節を削ってダシをとり、お米をといでご飯を炊く。それが、ひとりでできるようになったとき、彼女は三三歳の若さで天国に旅立ちました。はなちゃんは五歳でした。でもそれ以来、一〇歳の今まで、天国のママとの約束で毎朝、きちんとしたやり方でごはんとみそ汁を作っています。パパの帰りが遅くなる時、夕御飯も作っています。それも毎回、お手紙付きです。

今の時代、必ずしも親が子どもより先に年の順で旅立つ保障はありません。逆縁という言葉もあります。そのとき、親としてあなたは子どもに何を残しますか?学校を出てから、もう少し大きくなってから?そのうち、いつか……。そんな日はきません。毎日、毎日、子どもは親の後ろ姿を見て育っています。いつかっていつですか?「いつかは四日の次の日ですね」

ひとつ、ふたつ、みっつと数えて「つ」の字がとれるまで伝えておきたいのですが、その時期を過ぎてしまったという方、まだお子さんが小学生だったら間に合います。それを小学校、中学校で実施できる形を提案したのが、「子どもだけで作るお弁当の日」を香川県の校長先生の時代にスタートさせた竹下和男先生です。二学期の一〇月から月に一回、五年生と六年生だけで小学校を卒業するまでに一〇回だけです。この体験だけで一〇年後、なんと八割の子が成人したあとも自分で買い物にいって食事作りを何の苦もなくやっています。

現在では日本の一〇〇〇校を超える小中学校が実践校になっています。お弁当の日は一年～六年まで一緒に同じランチルームで食べます。この日は四年生以下は給食、五～六年生は自作のお弁当です。すると下級生は早く五年生になって自分でお弁当を作りたいという衝動にかられ料理大好きがどんどん増えています。そして一人分だけ作ることはありません。お弁当につめた残りを家族にあげると、上手になったな！　美味しかったよ、ありがとうと親兄弟から言われます。それがどんなに嬉しいかわかるのです。自分も誰かの役に立ってるということが実感できます。この発想は学校でまだやってないところでも、日曜日に親子で買い物に行って、キッチンに立つということをするうち、自然に食材の選び方、栄養のことなど多くのことを学ぶことができます。そして親子の会話がとっても増えるので思春期になっても、なに考えてるかわからないという悩みも減るんです。いつか一人暮らししたとき、ちゃんと食べてるか、心配する必要がなくなります。親が子に伝えることは日々の暮らしの中にあると思います。竹下和男先生の『台所に立つ子どもたち』（自然食通信社刊）などを参考にぜひあなたのおうちでもはじめて見ませんか。そうすれば前述のような女子大生の食生活には決してならないと思います。

二〇〇四年に公開されたアメリカのドキュメンタリー映画『スーパー・サイズ・ミー』というのをごらんになりましたか。三三歳の監督のスパーロックさんが一日三回、一か月間、M社のハンバーグだけを食べ続けたらどうなるか、文字通り体をはって体験した記録映画です。実験前は体重八四kgだったのが、一月で一一kgも増加し、体脂肪率も一一％↓一八％、さらにうつになり性欲減退、肝臓のひどい炎症をおこしたのです。彼の実験の動機は米国の肥満者の増加で、ファーストフード業界が儲けるために国民の健康を犠牲にしていることを訴えたかったとのこと。この映画は全米興業収益の一〇位内に二週も続けてはいり、アカデミー賞ドキュメンタリー部門にもノミネートされ日本でも話題となりました。彼はひと月で超肥満状態になり、もとの健康体にもどるのに一年もかかったとのことでした。また、これを食べ続けるとやめられなくなるという中毒のような症状も現れたと言います。ファーストフードに使われているトランス脂肪酸や過酸化脂質などがどんなに有害か、明らかですね。

ひとのからだはたくさんの細胞からできていて、その細胞膜を作るのが脂肪酸です。これにはアミノ酸と同じように必須脂肪酸といって体内では作ることができない、そとから食品として、取らなければいけないのが、不飽和脂肪酸のω《オメガ》―3とω《オメガ》―6が必須脂肪酸です。とくにω《オメガ》―3はうつの改善に効果があるということで、これらを含む鯖などの青魚の油DHAやEPHAが注目されています。

ω《オメガ》―6はゴマや大豆油に多く、リノール酸に代表されます。ω《オメガ》―3とω《オメガ》―6の油の取り方のバランスが大事だといわれています。健康に良いオリーブ油はω《オメガ》－9に属するオレイン酸で体内で合成できる不飽和脂肪酸ですから必須脂肪酸にははいっていません。またブタやウシの脂肪にはオレイン酸が多く、母乳の中の全脂肪の三分の一はオレイン酸です。そして天然の脂肪酸は光学的にはシス型ですが、添加物にはいっている脂肪酸がトランス型といってこれが細胞膜の材料としてつかわれると病気になるのです。

国立精神・神経医療研究センターでは二〇一一年から受診した患者さんの血液検査で不足している栄養素を調べています。吉田寿美子先生は、うつ病と糖尿病の関係を研究して食事を変えて糖尿病が改善するとうつ病もよくなるという症例をもう一〇〇例以上、体験しうつ病も生活習慣病のひとつ、薬と休養の前に食事を見直すことが必要だと実感しました。

（症例）

Aさん六一歳、六年前にうつ病を発症しました。世話好きのおばさんだったのに突然、やる気がしなくなりひたすら死にたいと思う日々が続きました。ドクターショッピングの結果、薬は一〇数錠飲んでいました。彼女の場合、異常な食欲があり、中心は肉料理など油っこいものと炭水化物のみをひたすら食べ続けていました。ときには一日八回の食事。みるみる太って体重は二〇kgもふえ糖尿病と診断されました。血液データはHbA1cや脂質が高かったのです。主治医から栄養指導を受けなさいといわれ、たくさんの野菜中心の食生活で三か月で改善しました。ある日、なんとなく洗濯したくなって、ベランダで洗濯物を干していると、隣の奥さんが驚いて、「あら、よくなったの！」と声をかけてきました。それを続けているうちにすっかり改善したということです。

国立精神・神経医療研究センターの功刀《くぬぎ》浩部長は、次のように述べています。

悪い食事がうつをひどくしたと考えられます。うつ病の治療はまず休息、からだを動かさない。食べたい放題で太りすぎになると糖尿病を発症します。しかしまだうつ病に、食事の改善という治療はそれほど知られていません。ストレスがかかると食欲が増す例があります。いわゆる「やけ食い」ですね。女性に多く見られます。そして太ってしまい、自分で自己嫌悪に陥るという悪循環が生じます。

受診したら、まず自分の食習慣やストレス度を質問用紙を見ながらチェックし、その後に面接し、自分を責める、泣きたくなることなどがないか、うつ病特有の症状がどれくらい続いているかを聞きます。そして血液検査をしてみると、不足している栄養素がこんなにあることがわかったのです。（図3）

図3

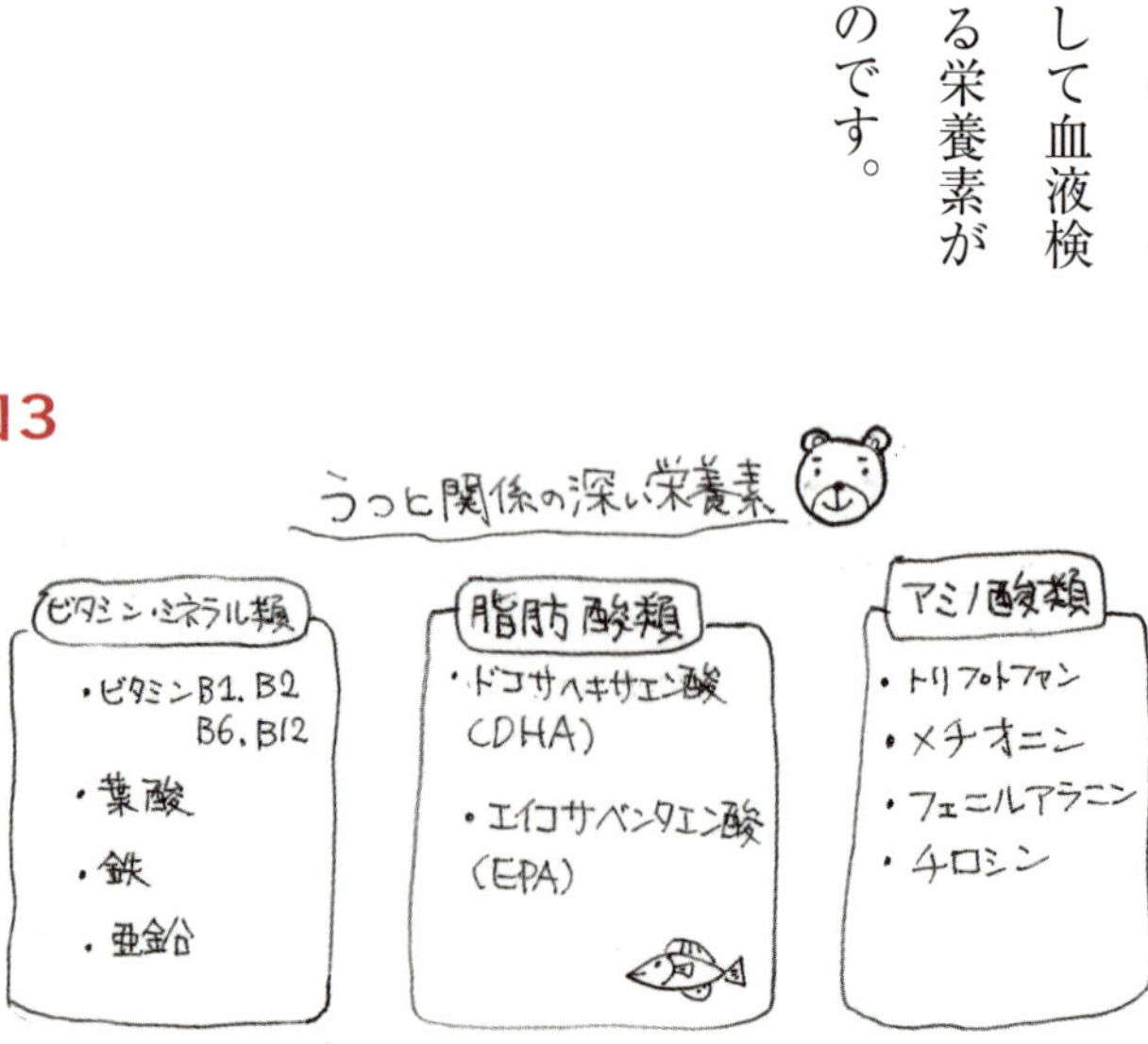

ここから先は少し栄養学の知識が必要になりますね。

ヒトの体内で作ることのできない栄養素のひとつ、必須脂肪酸、それが**EPA**（エイコサペンタエン酸）・**DHA**（ドコサヘキサエン酸）で青魚の油に多く含まれ近年、よく話題にされるのできっと聞いたことがありますね。いずれも脳の細胞膜を作る材料の一種で、脳神経の接合部で情報伝達に大切な役割があります。だからうつ病に効果があることがわかっています。

次に**亜鉛**です。これは新陳代謝に欠かせない栄養素で体内に蓄えることができないため、毎日摂取する必要があります。免疫力をアップし味覚を司る細胞を再生させる必須ミネラルの一つです。亜鉛は、食品では特に肉類、魚類、穀物に多く含まれています。亜鉛を摂ることのできる食品で有名なのが、牡蠣（カキ）、うなぎ、牛肉（もも肉）、チーズ、レバー

（豚・鶏）、卵黄、大豆、納豆、きな粉、豆腐、そば、ごまなどたくさんあります。

鉄分：血液の中の赤血球を作る材料であることは誰でも知っていますね。これが欠乏すると貧血になりその結果、酸素が体のすみずみまでいきわたらなくなります。食品としてはレバー、肉、魚、貝類、小松菜、海藻類、大豆製品　に多く含まれています。

ビタミンB類：これもヒトの体内では作ることができない栄養素です。新陳代謝の潤滑油として大事な役割があります。多く含む食品は、穀類の胚芽、豚肉、レバー、豆類、卵、かつお、まぐろなどなどに多く含まれています。

そこで、残りの**アミノ酸類**ですが、不足している四つのうちの三つ（トリプトファン・メチオニン・フェニールアラニン）までが必須アミノ酸、つまり体内で作ることができない栄養素で、神経伝達物質の材料になるものなのです。

うつ病は脳内の神経接合部で、セロトニンが不足することが原因とされています。セロトニンは消化管内や中枢神経系に広く分布しているので、うつ病を改善するためには、脳内にセロトニンを増加させればいいわけですね。

セロトニンは体内で合成できない必須アミノ酸のひとつ、トリプトファンを摂取することで、脳には腸からセロトニン前駆物質が送られてきます。ところがこれを作る腸内細菌が減少するような食事内容であったり、抗生物質をはじめ薬物などによって、前駆物質が作られない状況がうつ病の患者にはあるのです。

カナダの精神科医、故エイブラム・ホッファー博士は、こころの病気の患者に対して、**「あなたは今まで何を食べてきましたか？」**と質問したそうです。博士は毎日の食事を工夫することで、こころの病気の治療と予防ができると考え多くの、うつ病の患者を治しました。

セロトニン

からだの中のセロトニンの九割は腸や血液の中にあります。その名前の由来は血清（serum）に含まれ血管を緊張（tonus）収縮させる物質という意味でセロトニン（serotonin）と名付けられました。でも脳には脳・血液・関門というのがあって、セロトニンはそのままでは脳内には入れません。脳内で作られたセロトニンは脳から血液内に出ていくことはできます。トリプトファンという必須アミノ酸が脳内に入って、脳のド真ん中、生命の中枢である脳幹でセロトニンが作られ、不安・恐怖を感じたときに働くノルアドレナリン神経や心地よさを感じるドーパミン神経を、セロトニン神経がオーケストラの指揮者のようにコントロールしています。そして前頭葉にそれが集まっています。また記憶に関する海馬というところにもセロトニン神経はつながっています。

うつ病はセロトニンが脳内で少なくなるから起こるということで、それを薬剤で増やそうという発想で作られたのが、パキシルなどの抗うつ薬です。

神経伝達物質は人間の体内で合成することは出来ません。口から取ったたんぱく質は胃酸の働きによって分解されアミノ酸になります。

フェニールアラニンというアミノ酸がビタミンB3(ナイアシン)、葉酸、鉄、ビタミンB6の力を借りてドーパミンになります。

トリプトファンが葉酸、鉄、ビタミンB3(ナイアシン)、B6の力を借りてセロトニンになりました。

グルタミンがビタミンB3、B6の力を借りて、GABA(γアミノ酪酸)という抑制性の神経伝達物質になります。

このとき、重要な働きをしているビタミン群、葉酸などは腸内細菌が作り出します。うつ病では腸内細菌が少なく、その内容もよくないことがわかっています。

この本を書くきっかけになった友人の栄養士、渡辺雅美さんが最愛のご主人のうつ病を、自分の得意技である食を徹底的に見直し、改善させた報告を紹介しましょう。

とうちゃんがうつに

とうちゃんがうつに……。

思いもよらぬことは突然やってくるものです。

「カアちゃーん、かあちゃん」

苦しそうに叫ぶ主人の声。寝ていた私は何が起こったのかわからず、飛び起きて部屋を出たのです。私の目の前には夫が腹這いになって、足を震わせて廊下で倒れていたのです。

「どないしたんの！とおちゃーん」

「かあちゃん、もう動けへん、体が動けへーん、行きたくないー　行きたくないんやー」

「ええっ！　行かんでいいでー、とうちゃん、どないしたーん！」と言いながらとっさに夫の震える足をつかみました。

自分が何を言って、何をしてるかわからない状態でした。

異変に気づいた息子がぱっと起きてきて、

「おかん、ちょっと黙って！　どないしたんおとん、大丈夫か？」

「大丈夫」

「歩けるか？」

「歩ける」

二人はそう言いながら、「じゃあベッドで休もうか」と息子が主人を抱きかかえ部屋に連れて行き、ベットに落ち着かせました。

私は何が起きたのかさっぱりわからず、しばらく「あわわ」状態で、目の前が真っ白になりました。

すると、主人が「会社の鍵を持っているから、部下に取りにくるように連絡してくれ」と冷静に言うではありませんか。こんなてんやわんやの時に主人はしっかりと話ができるし、ましてや呼吸もしている。これは心筋梗塞や脳血栓でもないんだと、少しずつ落ち着きました。

鍵を取りにきてくれた会社の人に「お願いしますね」と渡すと、「渡辺さん、よく辛抱してました。毎日あんなにがみがみ、上司から叱られて、自分が見ても痛ましいくらいでした。よく辛抱してました。前の人は三日で辞めました」。

私は何も知らなかったのです。二年半前に前の会社から中間管理職として引き抜かれたのですが、自分より仕事の流れを良く知る大卒の社員を部下に持ち、上司からは売上を伸ばすためにガンガン言われる。部下を叱れない主人は、毎日言われ続けたのです。

栄養士をしていた私はその日、阪南中央病院で妊婦さんの料理教室の予定がありました。呆然とする中、迎えの方に「どないしたん」と聞かれ、「主人が倒れたんです。ウツ病なのかも…」と話すと「うちの主人もうつになってんのよ、良い先生だから明日、予約しておくね」と、言ってもらえ、少し楽になりました。

料理教室から帰るとさっそく主人の会社に電話しました。

「明日病院に行きますが、すいません、風邪ひいたようなんですが、申し訳ありません」と謝ると

「何ですか風邪くらいで休むんですか。……（ガミガミ）……本人を出して下さい」。「出られる状態ではありません。ごめんなさい」

私はひたすら謝りました。

翌日、病院に行き、心療内科の先生から「うつですね」と診断され、三か月の診断書を手渡されました。

うつ病とは、私なりに大まかに解釈すると、脳の中の神経を伝達する物質・セロトニンが少なくなり、また働きが悪くなって、神経を伝達しなくなる病気だということです。精神安定剤のような薬をもらって帰宅しまし

た。

その後、主人は三日間、ずーっと死んだように寝続けました。

私は栄養士

主人も私も広島県呉市生まれ。私は一人っ子でしたが、小さい頃から「これからの女性は仕事を持たなくてはいけない」と言われてきました。仕事は好きなことが良い。私の大好きなことは食べる事。これならずっと続けられる。食生活に関係する「栄養士」を目指しました。大学で資格を取り、栄養士として広島大学付属病院に赴任。結婚後は大阪に移り、子育てが安定する頃、保育園や幼稚園数か所に栄養士として勤務したのです。

当時の幼稚園や保育園の給食は欠食させないようにすることが第一。そのため子どもの好きなもの中心の献立でした。ハンバーグやスパゲティー、クリームシチューなど、どこの国のものか分からないような、そんな無国籍メニューでした。

私も当たり前のように前者に倣って献立作りをしていましたが、そのうち、気になることが増えました。

自分が育った時と今の子どもの様子が変わってきたように思えるのです。生活様式が変わったため、昔と違うのはわかりますが、何か、朝から元気がない、やる気がない、原因不明のいじめる子も増えているのです。

色々聞いてみると、朝ごはんを食べてないことがわかりました。

さらに驚いたことがあります。土曜日には家で作ったお弁当を園に持ってくる日です。そっとのぞくと、ミートボールやフライドチキンなど油が多く、肉中心の洋食メニューで、野菜はほとんどありません。カロリーが高く、ミネラル、ビタミンが不足しているのは確実です。中にはコンビニで売っているお弁当を明らかにそのままお弁当箱に詰めて持ってきている子もいました。そして、ドーナツだけ持って来た子は恥ずかしそうに下を向き、自分の持ってきたドーナツを隠しながら、だれとも話さずに食べている様子に、私は愕然としたのです。

これではいけない

保育園は家庭のように温かく育み、家庭の延長線上で考えて保育する。これは良いのですが、家庭の食生活がこんなに乱れて格差がある以上、一日三食のうち、せめて給食1食でも働く忙しいお母さんが作れないものを考えないと、このままではいけないと思うようになりました。

和・洋・中何でもありの一般の献立はエネルギー、たんぱく質やカルシウム、鉄、ミネラルなどの栄養素はクリアしているのですが、栄養素の数字を合わせて、子どもの好きそうなカタカナメニューのものばかり作っても本当の意味があるのだろうか。日本人の体質を考えて伝えていかなければならないものがあるのではないか！　大切な何かを失っていないだろうかと考えました。仕事柄、色々な食品の情報も、料理関係の本も目にします。しかし、自分の目の前の悩みを、すんなり納得するような情報はあまりなかったのです。

ある時、幕内秀夫さんの書いた『粗食のすすめ』を目にし、とても感化されました。講演も拝聴しました。「本当のおいしさ」、「体と心をきれいにする」、「日本人が健やかに生きるため」という言葉も、私の体にすんなり入り、それから私の仕事の「骨」のようになったのです。

和食にかえる

これからは「和食」中心の献立にしようと決めました。まず主食をご飯にする。味噌汁、ぬか漬け、お茶、これを一つの基本に、主菜は魚、大豆製品、肉類。副菜は季節の野菜を中心に煮物、酢の物、おひたし、乾物や海藻も上手に摂り入れます。

肉は家庭でたくさん食べているようですから、魚を出来るだけ取ろう。ビタミンB群や食物繊維豊富で、よく噛むためにもお米も始めは五分づき米から、徐々に三分づき米に。本物のごはんの味を子どもたちに伝えよう。そして噛むことにより、ゆっくりやさしく体に入り、血糖値の上がるスピードが抑えられる効力もある。三時のおやつも腹持ちの良いおにぎり、芋類、だんごに毎食炒り大豆、小さめのいりこを出します。

そして、何しろ「おいしい」と言ってくれるような素材も調理法も工夫したのです。同じ材料を使っても人によって料理方法やまた料理環境の違いから味が違うのです。前日徹夜して悩んだ栄養計算のわずか数ミリグラムの単位の数字が、実際に調理される時には正確に反映されることはほぼありません。

それより大切なことは、気持ちを込めて料理したものを「おいしい」と感じて食べてもらうことです。それは栄養の吸収も良くなり、精神の安定も計られるのです。

しかし、新しいことを始めようとすると、組織の中では反対する職員もいました。

「精進料理ばっかりやん」、「子どもら魚の煮つけなんか食べへんわ」とか言う人もいました。

しかしどうでしょう。一か月も続けると、その職員さんから「渡辺さん、あんた、私体調が良くなったわ、コレステロール値が下がったわ、で、血圧も下がったわ」、さらに一か月経つと、先生の中にも「血糖値が安定した」、「便通が良くなってん、肌がきれいになったんと言われたん」と、わざわざ報告にきてくれる始末。

何より期待した子どもの反応は、楽しんで噛む、「おいしい」の声以上に「食べ残しなし」のうれしい成果でした。そしてさらに保育士さんも言うとおり、キレやすかった子も気性が落ち着いたり、手足が冷たかった子、「うんち嫌い」と言っていた子の便通が良くなるなど、子どもの変化は明らかでした。

ご飯は消化吸収がゆっくりで、腹もちが良いので大好物だったジュースやお菓子を特別欲しがらなくなったのです。お腹がいっぱいになるのはおとなでも満たされた気持ちですから、当然子どもたちはみんなと仲良く遊ぶようになって、やさしい気持ちになったのでしょう。

その後も、和食の献立を重ねて、日々研究していましたが、同時にほかの園の和食給食導入も頼まれたこともあり、現場を離れ、料理教室などを独自に開くことにもなりました。

そんな時、アトピー性皮膚炎で悩む子ども達に自然治癒に導く治療で評判の大阪府堺市の小児科、佐藤美津子先生とともに、アトピーで悩む子を持つ若いお母さんと治った人との交流の場所「きらきらぼし」、大阪、兵庫、京都で行うようになりました。また、二ヶ月に一度、子育て中の若いお母さん方に農政局の方を交えてのお米の大切さや野菜の情報、食育の紙芝居、私が手弁当（おにぎり、煮物など）を持って行き、親子で試食してもらう、ためになり、ほっとする栄養指導の会「わいわいトーク」を始めました。

アトピーの子どもさんを持つ母親と一回の対面だけの食事指導だけでは、その家庭の食事状態を知ることはできません。思い切ってその家庭に行くことに決めました。出前出張料理教室です。その家庭の生活や環境を知ることが重要と考えました。お母さんと一緒に話したり、料理を作ったり、子どもを囲んで楽しく皆で食べるのです。一日三食の大切な食事です。子どもの味覚は一〇歳までに決まると言われますから「おかあさんの味」はその時期に食べ続けた物が大人になっても食の基本になっています。食事を和食に切り替えるのはそんなにむつかしくありません。「しっかりご飯を食べる」、「おみそ汁は昆布と煮干しでだしをとり、具だくさんにする」、「魚や大豆、肉、野菜の和風のおかずを食べる」を実行することです。

おかずは焼き魚、肉じゃが、おひたしや酢の物といったふつうのおかずです。おとなと同じメニューで良いのです。離乳食もそれをつぶすだけでいいのです。

しっかりした食生活の土台を作ることができます。アトピーはアレルギーとは違いますので、食事をしてじんましんなどの反応があっても時期をみて少しずつ、何でも食べさせてあげることが治る早道です。また、嫌なものは無理に食べさせないことです。「食事は楽しく」「ほめてあげる」「抱きしめてあげる」を心がけましょう。

一歳半のA子ちゃんの場合ですが、母乳とステロイドの薬を医師の指導のもと、やめて、主食だったパン、牛乳、バナナ、さつまいもしか食べなく体重も増えずに困っていましたが、だしをとった具だくさんのみそ汁、五分づきのご飯のおにぎり、煮魚、かぼちゃの煮物、じゃこ入りきゅうりの酢の物などの和食に切り替えました。おいしい愛情いっぱいのお母さんの心が通じたのか、食欲が旺盛になり、夜中に何度も起きていたA子ちゃんの睡眠時間が徐々に増えたのです。

かゆみだけでなく、お腹も空いていたのでしょうね。一週間で皮膚のジュクジュクが乾燥して、「食べてしっかり遊んで寝る」これを続けて、二か月後には皮膚もきれいに、同時に表情もとても良くなりました。

そんな仕事を重ねていた時のこと、保育園連盟から講演の依頼を受け、自分の和食の取り組みを檀上で話す機会を得たのです。

それから企業の主催する和食の料理教室などの仕事も増え、食文化の業界紙からも取材を受けることも多くなりました。

夫がうつに

結婚して二六年、大阪に転居して友人も多くなり、子どももやっと自立し、順調とは言えなくても、料理教室を主宰し始め、自分のサイクルで動けるようになった時でした。

目の前に起こった事実に、目を疑いましたが、それが現実でした。

「うつ病」との診断に私は何をしたら良いのか。

思い起こせば、ここ数カ月、元気がなかった。不安そうだった。

そういえば仕事関係の友人が、「結婚することになりました」と言われた時にも「あー、そう」とひと言。

結婚式は大好きで大喜びする人が、そういえば無表情でした。

あわてて私が「おめでとう、良かったわね」と、主人の代わりに私が大げさに言ったものでした。

日曜日の夜には『笑点』を見ては大笑い、『サザエさん』を見ては笑う大好きな時間だったのに、最近はぼーっとテレビを見ていて、そういえば笑わなかった。

あとで聞いたらテレビの枠の四隅を見ていたのだそうですが…。

お弁当も何回か食べずに残してきました。「忙しくて食べられなかった」と、食欲さえ無くなって、思わずうそをついていたんでしょうね。

家の中でも普段つまずくところでもないのに、ひょっとつまずいたこと、立ちくらみもしていたこと、そして、十一月だというのに、毎日のように寝汗をびっしょりかいていたこともありました。

倒れてから数日後、以前に受けた会社の健康診断の結果が送られてきました。今まではあまり不安もなかった結果ですが、それには「貧血」の文字がくっきり。「貧血」の文字がくっきり。

ええ!!　「貧血!!」

「立ちくらみ、めまいは貧血だったんだ!!」

「なぜそれに私は気づかなかったのだろう!!」

「ストレスのため無気力、無関心、無感動もすべて栄養障害から起こったんだ!!」

「あ〜ぁ　そうか!!」

保育園でやる気がない、いつもうつろな目をしていた子がしっかり食事を摂ることでどんどん良くなって、心を取り戻したことを経験していた私は『心の病は脳の働きの不調によって起こる！』脳の働きを決定する最大の要因は何をどのくらいたべたかに関係しているのだと。

すぐさま栄養士として食事療法の闘志が湧いてきました。貧血は鉄分が不足しているからです。鉄分不足で血液の中の赤血球を作る材料が不足し酸素を体のすみずみまでいきわたらせる働きができなく、立ちくらみ、めまいを起こしていたのです。そしてうつ病に起因するセロトニンの働きを良くするには鉄、カルシウム、亜鉛などのミネラル成分、ビタミンB群、ビタミンCを補わなくてはいけません。今まで勉強してことを、いますぐ実践するのです。とうちゃんの元の体にもどさなければ。

しかし、標準に補給していても、強いストレスに対しては必要以上に消耗、消費しきっていたのでしょう。そこを強化しなくては。そしてバランスを考えながら毎日の食事で治そう。これは私の得意の分野ではありませんか。

よし、今こそ私の勧める和食を徹底しよう。

SPジュース

と言っても、とうちゃんの失われた栄養分をすぐに吸収できるものではありません。

こんな時は即効性のあるSP（スーパーパパ）ジュースです。毎朝ジュース。バナナ、りんご、ニンジン、黒酢（米酢）、「ヤクルト400」も入れました。これは広島の両方の両親の「腸に良い、健康に良い」の受け売りをそのままに。そして私たちの故郷の特産の煮干し、なるべく酸化防止剤が入っていない新鮮なものを二人分で一〇匹ほど入れてミキサーにかけます。煮干しが臭くてはおいしくありません。鉄分を早く強化し、速やかに吸収するためにビタミンCとが必要です。

このジュースのほかに三分づき米の中に雑穀やわかめを混ぜたご飯に、みそ汁は昆布と煮干しのだし、具は芋類、豆腐でした。主人の好みの鮭、大根おろし、ジャコ、納豆、そしてひじきの煮物が毎日の定番です。少しずつですがきれいに盛って、「毎日続けることが大事」と、祈るような思いで作りました。

最強の常食「ぬ・き・ご」

今摂っている栄養素では足りない。一日三食、おやつを含めれば一か月一〇〇食以上になります。毎日食べて、しかも飽きないもの。そして日本人が昔から食べている安心でやさしいもの。飽きずに補給できて吸収しやすいものと、考え続ける毎日。

米は三分づき米、青背の魚を多めに、肉は少なめに、旬の野菜、根菜の煮物。ニンジン（ビタミンA）は何にでも入れるように、酢の物とひじきは毎日、飽きないように考えたのは、すりおろしたしょうがをひじきの煮物の最後に、さっと入れることです。こういう決めごとを自分なりに作りました。そして最強の常食も決めました。

「ぬきご」です。これは造語ですが、「ぬか」、「きなこ」、「ごま」を合わせたものです。

毎朝、三分づきのお米にするために、玄米を精米機にかけて、出た「ぬか」です。抗うつ効果があると言われている「セレン」というミネラルは、玄米に一番入っているのです。そしてビタミンB_1、天然のビタミンEが豊富です。これをさらさらになるまで弱火でじっくり二〇分くらい炒るのです。

それにタンパク質が豊富で、天然の甘みがある「きなこ」、そしてビタミンEのかたまり「ごま」です。黒ゴマのほうが良いでしょう。半分すりつぶして香りの良いすりごま、この三つをあわせたものです。

そして少量の水で練ったり、牛乳、豆乳に入れたり、ヨーグルトなどで合え少量のはちみつを加えたり、これを朝晩、またはおやつにも出しました。色々なものにふりかけたりしました。

今ではこの「ぬきご」は、近くにある老舗の洋菓子屋さんの看板メニューとして使っていただいています。テレビ、新聞でも紹介されたようです。

これらを毎日続けているうちに、主人の体が落ち着いて食欲もでてきました。便通も良くなったようだし、用を足したトイレの後の強い臭いも

［コラム］ぬきごとは……

ぬか
・食物繊維が豊富
・ビタミンＢ群で神経伝達経路をスムーズにさせる。
・ビタミンＥには血行をよくし冷え性にも役立つ。

きなこ
・亜鉛、鉄、マグネシウムミネラル、ビタミンＢ群を含んでいる。

ごま
・必須アミノ酸が豊富。ビタミンＢ群、鉄、亜鉛も含んでいる。

♥貴重な栄養の宝庫「米ぬか」

米ぬかは玄米からわずか１０％足らずしか採れません。しかし、この米ぬかにこそたくさんの栄養素が含まれています。たとえばビタミンＥは白米に含まれる量の１００倍の量が玄米に含まれています。その他ビタミンＢ群、ミネラルもほとんどは米ぬかに含まれています。

♥ストレスから守る米ぬかのチカラ

ストレスなどによって発生する活性酸素の害から身体を守る働きが期待できます。また、自律神経関係やストレスからくる内臓への負担をケアする働きも期待できます。食生活や生活習慣の乱れなどからくる疾病の発生を予防し、日々の健康維持を助けてくれます。

♥ミネラル、ビタミンＢ群の補給

落ち込んだ心を励ますと同時に感情の不安定を抑えながら心を落ち着けるセロトン物質を作るものとして、まず鉄、亜鉛、ミネラル不足だったとうちゃんの身体を補うこと。次にビタミンＢ群の仲間であるイノシトールは抗うつ効果があると言われている。このイノシトールはぬかの中にある。そのぬかをおいしい形で食べてもらうために、ぬか、きなこ、ごまをブレンドした「ぬきご」が完成！

♥ぬきご 100g あたりの栄養成分

エネルギー	458Cal
たんぱく質	21.9 g
脂質	27.8 g
食物繊維	20.9 g
ナトリウム	10 mg
カルシウム	350 mg
鉄	7.1 mg
ビタミン B1	1.86 mg

♥ぬきごの食べ方

一日　大さじ　２杯～４杯程度

・豆乳　牛乳　野菜ジュース　コーヒー　ヨーグルトに混ぜる。
・ほうれん草や小松菜の和え物に
・大根おろしにかけてポン酢で
・焼き飯の中にふりかけて。
・お好み焼き、焼きそばにふりかけて。
・玉子焼きのなかに混ぜて。
・カレーのなかに混ぜて。
・味噌汁のなかに入れて。
・ハンバーグになかに。
・てんぷらの衣に。
・ホットケーキやパンのなかに。

＊外食やインスタントのものにふりかけて手軽にとってください。鉄、カルシウム、ミネラル、ビタミンＢ１　食物繊維がバランスよく含まれているものを毎日続けることで徐々に心が安定されてきました。

1袋　150g　1260円

♥「ぬきご」は下記で購入できます。
株式会社　フローレンス　（ぬきご工房）
〒558-0011　大阪市住吉区苅田７－９－１９
TEL　06-6696-3580
FAX　06-6696-0355
http://www.florence.cake.jp

「ぬきご」を使ったシフォンケーキやドーナッツ、
クッキーなども製造販売しています。

徐々に少なくなったのです。下向きがちだった姿勢も少しふつうになった気がしました。免疫が徐々に上がってきたのだと思いました。

とうちゃんの料理

私と主人の両親は広島に住んでいます。数年前から、月に一度、一週間ほど私は広島に帰ります。両方の両親の家に泊まり、食事を作り、介護をしながら日ごろの生活の変化などを聞くのです。

これは結婚した時からの約束でしたので、主人が倒れたとはいえ、行かずにはいられませんでした。主人も行ってくれるほうが安心の様子でした。

今回の主人の病気は、年を重ねた両親に心配かけぬように話すことをためらっていました。

主人の食事は作り置きのものを用意して…、と思ってもすべてそうはいきません。

「よっしゃー、とうちゃん、料理しましょう」と、初めての二人のための料理教室を試みたのです。

米の洗い方、だしの取り方、みそ汁の作り方に始まりました。

始めは続けて二つ以上のことを言っても「うーん」とうなり、頭がいっぱいになっていた様子でした。

おかずは簡単な「きんぴら」なども教えました。

野菜の切り方からはじめ、ひとつ一つの作業を、できる限りほめました。

野菜を切ったら「きれいに切れたねえ」、鍋に入れたら「よくこぼさず入れたなあ」、材料を炒めたら、「良い加減にシャキシャキして、じょうずやなあ」などなど。

そんなことを一つずつ重ねていくうちに、何と、彼は、がぜんやる気になったのです。

前頭葉が動いたんですね。喜んでしてくれたのです。

またまた、自ら本棚から料理本を出して、「これで作ったでー」と言って、料理を作ってくれました。

「すごーい、とうちゃん天才やん！嬉しいわー、めっちゃおいしいね！」と、もう本当に、豚が木に登るほどほめて、本当に「すばらしい！」。

するとその時、主人が笑ったのです。倒れてから初めて笑ったのです。私も久しぶりに心から喜びました。

そして私は味をしめたように、次々に主人に家事を教えました。

しかし、そう簡単にはいきませんでした。相変わらず電話にも出ず、私がついていなければ外にも出られない日々です。

作業療法

月一回の定例行事、広島の両親の家から帰った時のことです。

「ただいま！」

と帰るやいなや、夫の姿より先に目にした、気のない部屋、だらんと垂れた植木の鉢。部屋の中や窓越しのベランダの花も木も枝も、枯れる寸前、私の大好きな花たちが悲しい姿に…。

私は無性に腹が立ち、

「なんで花になぜ水をやれへんかったん！枯れるやんか！そんなこともわからんか！」と、もう情けなくて、情けなくて、台所で大泣きしました。

両家両親の世話をして、疲れてやっと帰ってきても、さらに疲れる事がまた始まる、との気持ちもあったのでしょうか。思わず涙が出てきて止まらなかったのです。

すると、主人は「大丈夫か？」と私に寄って抱きしめてくれました。

「ごめん、ごめん、気が付けへんかった。今から水をやるから、やり方教えてくれ」と言うのです。

その言葉で
「あ、この人、病気だったんだ」

と、私も我に返りました。えらいことを言うてしもうた。ごめんなさい。

そして主人が「ヒマがあったらあかん。うつ病はヒマがあったらあかん」

と言いだしたのです。

ひとりの時間が長かったから、いろいろ考えたり悩んだり、嫌な長い時間だったにちがいありません。

それをきっかけに、作業療法ならぬ、とうちゃんの一日の仕事のサイクルを決めました。

まず朝起きて顔を洗う。
仏壇の水を換えて、手を合わせる。
みそ汁を作る。
ごはんを食べる。
植木に水をやる。
八時一五分になったらＮＨＫの朝のドラマを見る。
洗濯をする。
リビング、寝室、お風呂、トイレの掃除をする。
昼ご飯を食べる。

買い物に行く。
散歩をする。
このように作業のポイントを作り、毎日のリズムを自分流につかむことができるように決めたのです。

うつはウツる?

主人が倒れた時から、私は主人の会社に連絡をしていました。風邪だと言って休んだ次の日には
「病院に行ったらうつ病と診断されました」
「何ですか!、本人を電話に出して下さい!」

「出られる状態ではありません。すいません。三か月の診断書を会社に送ります。本当に申し訳ありません」

「えー、三か月ですか、また来週電話してきてください」

翌週電話すると同じ調子で
「ほんまですか？（ガミガミ）――電話に出してください」

「でられません。意に添わなくて申し訳ありません」

また翌週も同じ。どうなんですかと激しい口調で怒られました。私は電話する前になると心臓がバクバクしてるのが分かるほどでした。

そんな上司との会話でも、始めは仕事の支障が出ているだろうと、本当にすまない気持ちがあったのです。そのうち、電話を切ってから「アハハ、じゃかましいわ」と言って自分の落ち込む気持ちを何とか前向きにしようと、わざと笑ったりしました。

次の電話も「主人も頑張ったと思うんですが…本当に申し訳ありません」と涙が本当に出てきてしまったりしました。

主人をこんな口調で毎日叱っていたんでしょう。楽天的な私でも、こんな毎日が続いたら気が変になってしまう。よく主人は我慢した。

しかしそのうち、本当に気持ちを抑えきれなくなってきたのです。

朝起きてSPジュースを飲んで、料理、食事して掃除、洗濯、昼からビールを飲んで落ち着いて散歩。

普通の男の人は仕事に行っているのがあたりまえの生活ですから。私のアンバランスな気持ちは、病気が長くなるにつれ、いつのまにか大きくなっていました。

ある夜、私は無意識に、寝ながら大きな声で「ぐわー！　もういやー！」、「こんなのいやや－」と何回も叫びわめいて、泣き出したのです。自分のイメージではクジラが潮をブワ－っと吹く感じです。

私の中の毒素というか、電話の対応の嫌なことや、自分が支えきれなかったものが、一気に体から出たような気がしました。

「大丈夫か、大丈夫か」

と、うつ病の主人の声が聞こえます。

「はい、ありがとう」

と私は言って、また寝てしまったそうです。

しかし、朝目覚めると、なんとすっきり。昨日は一体どうしたんだろう。

無意識でクジラになったようでしたが、今考えると、あの潮を吹かなかったら、私はうつになっていたかも知れません。

あー、良かった。

単純と言われそうですが、「よっしゃー、何かわからんけど、一からやり直しや」という気が湧いてきました。

支えている人がうつ病になる話は本当にあると実感し、昨日のクジラさんに感謝したい気持ちでした。

休職して三か月を迎える頃、主人は食欲も出て、外出もできるようになり、私の主宰する料理教室の手伝いをしてくれるまでになりました。

「会社に行ってみようかな」と私につぶやいたのです。

しかし、その夜にベッドの中で
「わーーー、○×?・*□>#—!」

何を言っているのかわからない言葉でしたが、吠えると言うか、怒鳴ったのです。

「この人あかんねんな、あの職場はいやなんだ」、このまま行ったらこの人死ぬことになる。せっかく一生懸命食事療法して良くなっても、何の意味も無くなる。

「とうちゃん会社やめましょう。そこの仕事辞めましょう」ということになりました。

いつもいっしょ

今までの私たち夫婦のことを考えてみたら、ここ二〇数年、すれちがいばかり。

主人の休日は水曜日、私も子どもも休みは土日。

子どもに「家は母子家庭みたいやね」なんて言いながらご飯を食べたこともありました。私は自分の友達と良く会い、子どもも友人と遊びに出かけます。家族みんなでどこかに行くこともほとんどありませんでした。

これが世間でもあたりまえの生活だと思っていました。しかし、これからは友だちからの深刻な相談以外、自分の都合で友達と会うことをやめました。

主人が病気になったはじめの頃、私はうつ病を軽く考えていました。少し休んで、三か月もすれば治るからと、普段通りに友人とランチに出かけていました。

「行ったらいいよ。気晴らしに…」とも言ってくれたのですが、その横顔が寂しそうに見えたのです。

それからは、友人と会っていても私自身、気を抜くどころか楽しめないようになりました。

今はこの人に寄り添うことが唯一私にできること、今から離れていた時間を取り戻そう。

「とうちゃん、これからずっといっしょに居るよ」と言った時に、主人はうれしそうな顔をしたのです。

「かあちゃんといっしょにいることが安心、安全」だったのでしょう。

いっしょに起きて、いっしょにご飯を作って、朝のテレビを見て、お花に女の子の名前をつけて「花子ちゃん、おはよう」と言いながら水をあげて、いっしょにお掃除して、いっしょにお昼ご飯。午後からは「とうちゃん、良い天気やなあ」と言いながら、いっしょに公園を散歩。

そして自分の主宰する料理教室にも出来る限りいっしょに連れて行きま

した。

包帯やギブスをつけているわけではないので、外見は普通の夫ですから。荷物を運んで、車の運転をしたり、料理教室の足りないものを買い物に行ってくれたり、知っている人のグループに入り、スタッフとして料理の手伝いです。

それに慣れた頃には、教室全体を見回して、うまく進んでいるか、問題がないかを見てくれたり、「Aグループの小松菜が足りないよ」などと言ってくれるまでになりました。

主人は、私といっしょに居て、「役に立っている」という自覚と喜びがあったのでしょう、良いリハビリになったと思います。

うつ病公言

私の開放的な性格もあるのでしょうが、人と会うごとに「うちの主人うつやねん」と言っていました。人に聞かれなくても、自分から「うつやねん」。チャンスがあればいつでもどこでも言いまくりました。

すると、結構まわりに同じ人がいるんです。

「うちの主人もそうなんよ」

真面目な性格の人がなり易いと聞いていましたが、そんなこともありません。

自分の仕事先、近所、友だち、どこでも意外にいるのです。

でも皆な人前では言わないのです。そして、だれでもなり得るのがわかりました。

「みんないっしょや」

安心すると同時に、話をしていると、色々な情報が入りました。お互い、どんな対処をしているのか、私の食事療法も興味があるようで、相談に来られた人もいます。

ほとんどの人が薬を飲んでいるようでした。時間が長くなるにつれ、色々な薬が増えて、またどんどん強い薬になっている人の話も聞きました。そして抗うつ薬の一年間の消費量は、なんと五〇〇億円だとも聞きました。

私は食事療法、作業療法を中心にして、薬はほとんど飲ませませんでした。と言ってもこれだけで十分治ったわけではありません。時に自分の気持ちを抑えながら、主人の気持ちを損なわないように振る舞い、ともにここから脱出するために、いろいろ気持ちの持ち方を模索し、格闘したのです。

これでいいのだ

とりあえず一家の大黒柱でもあった主人が、病気になり仕事が無くなったのです。仕事がないことは収入もありません。

一か月の食費、生活費、マンションのローン、子どもの教育費、両親の先々の介護などが頭をかすめていました。

私はお金のことを考えるのが得意ではありません。

少しずつ落ち着き、考えることができるようになった1年後、思い切って主人に「お金の管理はあなたにまかせます。銀行の通帳はこれだけ、現金はこれだけですから、よろしくお願いします」と、言って任せました。ずいぶん格好の良いこと、と勘違いされるかも知れませんが、うつの人の家族に色々な話を聞いてみると、「お父さんが働かないで、お金はどうするの！」と言って、うつの人を責めるようなことは、大方マイナスで、とても本人に圧力や負担がかかることを私は言いたくなかったのです。私も同じように、思わずそう口走るかもしれないという自分が怖かったからです。

恥ずかしい話、特にお金のことは不得意、というか全くダメ。これからの生活のことを考えて、それを抱えると、私がうつになってしまいそうだったからです。

しかし、幸いにも闘病の間は、疾病保険や、失業手当が出たようでした。

そのことを考えても、なるようにしかなりません。これは現実です。

主人が倒れた。病気になった。そして仕事を失った。このすべてを受け入れ、すべて良しとしなければ前に進めません。私は自分で自分を奮い立たせました。

「これでいいのだ。これで良かった。今が良いのだ、いやいや、良かった。今までとうちゃんとすれ違いの夫婦だったのに、何十年も一緒にいる時間もなかったのに、やっと一緒になれた」

いつもと変わらず

いつもいっしょに居るようになり、変わらずの生活を送っていると、「とうちゃん調子どう？　大丈夫？」と聞きたくなります。

でも私は聞かなかったのです。聞いてはいけないことだと思っていたのです。

いつもと同じ環境で、いつもと同じように、料理を作っていても、できない時は「いいよ、したい時にしたらいいよ」。言葉も強いることのないように心がけていました。焦らせると思ったからです。気分に波がある時もそのままいつもと変わらず、自分から何かをしようと思うまで待ったのです。

ある日のこと、いつもは私が先に起きているのに、目覚めたらベッドに居ません。

「変だ」と飛び起き、リビングを見ると、朝なのにカーテンをぴっちり閉めて、真っ暗な部屋の隅に、亀のようにうずくまる夫の姿がありました。

「何してんや！」とっさに出た私の言葉。

カーテンをパーっと開けて、同時に、私はまわりにあった物をバンバン主人に投げつけました。

「何してんや！」

もうなさけなくて、なさけなくて。一緒に回復の努力をして頑張っているのにまた逆戻りのような目の前の有り様。

しかし、主人はその声に驚いたのか、おたおたと這いながら、私の投げた物を片づけているではありませんか。

私も感情的になりながら、割れないものを選んで投げていたんです。

どのくらい時間がたったのでしょうか、目の前が真っ白になると、時間の感覚がマヒします。

私は放心状態から覚めると、

「とうちゃん、コーヒー飲もうか」と、自然に言葉が出てきました。

「そやなあ」

それから、二人でいっしょに投げた物を「おかたづけ」していました。

ふだん、何も言わない私が、怒鳴って物を投げたことにびっくりして、我に戻ってくれたのでしょうか。

あとで考えるとこれは「ショック療法」だったにちがいありません。

ずっと長い休み

働かない夫、働かないのではなく、働けないのだ。脳に傷があるんや、傷が治るまでずっと休み。

「ほな、とおちゃん、ずっーと休みや」と言いながらもいつ治るかわからない病気。

「治るまでバカンス、バカンスやー、ずーっとバカンス」と言って気を取り直しました。

毎月ごとに広島に行っていた私は、主人が病気で仕事をやめたことを両親に話しました。心配をかけないことが両親にとって一番良いことだと思っていましたが、やはり複雑な心境で、嘘を通すのも限界も感じました。会社を辞めて一年二か月。五月のゴールデンウイークを過ぎたころ、主人の気持ちも少し落ち着いたようで、思い切って車で広島に帰りました。病気のことを話すと、「あんたは今までのぶさんに食べさせてもらっていたんだから、雅美さん、あんたが働きんさい、恩返しをしんさい」と、父。その後も帰るごとに主人の母からは息子の様子を色々と聞かれます。本当の様子は話せないので、「大丈夫です」。

私の母からも「どうなん？　働ける様子なの」と心配されても「大丈夫」。

本当は大丈夫じゃないけど「大丈夫」と答えていたのです。ここで愚痴や不満を言ったら、自分の心が崩れてしまうと思ったのです。

でもいつか、いつの日か「本当の大丈夫」の日が来る。

「それまでは長ーい休みのバカンスやー」。

ケ・セラ・セラ

長い休みと言っても、私自信の気持ちがブレる時もありました。一生治らないのだろうか、いやそんなことを考えるのはいけない。マイナスのことは絶対言わない、考えない。でもどうしても頭をめぐらしてしまう時は、歌を歌うのです。

「ケ・セラ・セラ」は、私以上に楽天的な父の得意な歌です。今までこうだった、今がこうだ、でもこれからはこうなると予測はできません。先のことをどれほど考えても、なるようにしかならないのです。誰に聞いても、どんなに勉強しても、どんなに働いても、どんなに思いつめても、先のことはわかりません。

同じ思うなら、嫌なことは考えない、先のことは考えない。楽しい前向きな歌をたくさん歌って、「ケ・セラ・セラ」と嫌なことは捨てましょう。時にはバラの香りを嗅いだり、牧場で馬に触れたり、緑の中で深呼吸したり、姿勢を正したり、背伸びをしたり、おおらかにどんと構えていくのです。

「人事を尽くして天命を待つ」

あとはおまかせです。

「日本笑い学会」という会があります。私はそこの理事をしています。

一二年前の新聞広告に載った「ワッハ上方」のホールでその笑い学会の催しがあることを知り、これだ！　と迷わず参加したのがきっかけです。

子育ても一段落して、自分が新しい何かと出会いたい、今までと違う仲間と違う環境で一緒に楽しめることをしたかったのです。笑うことが大好きで、笑うことがどんなに体に良いことか、真面目に面白く総合的に研究するそんな趣旨の会です。私にとってこの会は、欠かせないとても大切な会です。私が理事になったのは、皆が笑わないところでも、私はゲラゲラ笑える特技？があったからだと思います。

そんな私でも、今回の主人のうつ病はさすがに笑えないことでしたが…。

病気になって一年半くらい経ったある日、主人が急に怒りだしました。怒ってベランダに飛び出したのです。うつ病患者がベランダに出る事は危険なことです。

唖然としながらおどおどしていた時に、ちょうど息子が帰ってきました。尋常でない様子を息子はすぐ感じて、

「おかん、どうしたんや」

「わからへんねん、何かとうちゃん怒ってる」

「いらんこと言ったんちゃう」

「何を言うたか覚えてないねん」

「いらん事言うたら、謝らなあかん」

はい、そうしますと、とりあえず怖いからベランダに行って
「すいませんでした。気に障るような事言ったらごめんなさい」と近寄ったら、「ほっといてくれー、あっちへ行ってくれ」と突き放されました。

もう私は棒立ちのままでした。

すると息子はベランダにすごい勢いで入ってきて、ぶつかるように主人を抱き締めました。

「おとん、もうな、ゆっくりしたらええんやで。おとん、もう何にも言わ

んでええやん。おとん、ゆっくりしいや」と、抱きしめたのです。

「ふがいない！家族のために何にもできない、してあげられない、おれはふがいない！」と、叫びながら泣いている主人。

「いらんこと考えでいいんやでー。おとんは俺を大学まで行かしてくれたやん。家族三人で仲良く楽しく生きたらそれでいいと思ってるんや、だからおとん、今焦ることない、ゆっくり休んだらええやーー」

そして二人でおーおー抱きあいながら号泣しました。

主人は、一家の主でありながら働けない自分をすまないという気持ちでいっぱいになったのです。

そして私も二人に抱きついて、三人で大泣きしました。涙が出ないくらいまで泣くと、「仲良く三人でやっていこうや」ということになりました。

私が「まるでドラマみたいや」と言ったとたんに、今度は大笑いです。

不思議ですね。笑い学会に入っているから、笑いの神様がついてくるのでしょうか。

抱きしめることは言葉より強いことが初めてわかりました。不安から抜け出すためには、何よりスキンシップが大切だったのです。私は抱いてなぐさめてもらうことはあっても、抱きしめてあげるのを忘れていました。思えば最近はせいぜい手を握ることしかしていませんでした。

息子よ、あっぱれ。

「背負った子に教えられ」で、本当に子どもから学びました。

主人の病気はそれ以後、いっさい不安状態がなくなったようでした。

サインをのがすな

ある時、広島で古い友人と会うことになりました。

「あのな、うちの主人うつなんや」

「えー、生きてるの？」

そんな会話から始まった私たち。桜の花見の名所、広島の二河の河原で、私は苦しくも悲しい話を聞きました。

友だちのご主人は地元の会社のサラリーマン。一生懸命仕事して、どんどん業績を上げ、出世していったようです。そして子どもたちも小学、中学校と難なく進み、彼女は家庭の主婦として夫を支え、子どもを賢く育てるいわば良妻賢母。何の悩みもないように見えていたのです。

ご主人はその業績を買われ、東京に転勤になりました。

周囲からも「ご栄転」と言われる喜ばしいできごと。でもご主人は、「いや、東京転勤は大変だよ、もう自分はこれ以上仕事ができないよ」、「もう、めいっぱいだよ」「会社を辞めたいよ」と、話していたそうです。

環境や仕事の内容が変わる前は、誰しも不安、多少の愚痴は出るし、そんな時もあるだろう、と思っていたそうです。子どもの転校や引っ越しのことで忙しく、あまり大きなことではないとも思ったのかも知れません。

そして、そのご主人だけ先に赴任し、後から子どもさんを連れて上京しました。

その日の夜です。明日からは子どもたちは新しい学校に、そして主人は新しい職場に向かうのです、みんなで夕食を済ませ、寝室で休みました。

新しい家で落ち着かない夜、ふと目を覚ますとご主人の姿がありません。ベランダに出ると言葉にできない最悪の光景。

友人は、その姿を子どもに見せてはいけないと、ひとりで必死に縄をはずしたそうです。

「うちもうつだったのよ」と、ぽつり。

私は言葉を失いました。

友だちは、「なんで私にひと言でも相談してくれなかったのか」、と嘆いていたそうですが、良く思いかえしたら、時折、愚痴を言ってた、でも軽いぐちではなかったんだ。私にサインを出していたんだと気付いたそうです。

「生きとって良かったなあ、うちの主人みたいにならんといて…。サインをのがしたらいけんよ」

美しい桜の花が舞い散る中、ずっと二人で泣き続けました。

生きていることに感謝

その話を聞きながらも、いつ自分がそうならないとも言えません。自殺者の多くは「うつ病」の要素があると聞きます。

友人の「生きてくれているだけで幸せだよ」との言葉がそれからの私をさらに勇気づけてくれました。

今まで私が著したこと以外にもたくさんの事象がありました。うつ病本人も大変ですが、それを支える家族の心情も生活も大変です。病気自体の情報を入手するのはある程度できますが、病の原因は一つではなく、複雑で、様ざまな環境の中、家族の対応はその数だけあるのです。

私は単純な性格ですから、こうしたら良くなる、この食べ物は最強だと考えながら自分の考えを信じて実践しました。

うつ病を支える人は居ても、その家族を支える人は少ないのです。私は公言したので、友人や知人からの温かい言葉や励ましをもらい、情報も多く得ることができましたが、なかなか他人には言えない人も多いのです。自分の不安で揺らいだ心を静めて思い込んだり落ち込んだりする自分を無くそうと、仏教の本も多く読みました。快い音楽も聞きながら、バラの香りの化粧水も楽しみながら、何とか治る日を待っていました。

前立腺がんを患いながら明るく長生きしている父親のように、常にプラス思考で悪口やマイナスのことを言わないように。私は前向き、今日は気がとても安らいだ、そして毎日「ご飯が作れてありがとう」、「生きていてくれてありがとう」いつか、本当にこれで良かったと言える日が絶対来ると信じながら待ちました。

そして、倒れてから一年八か月経った七月二五日、ついに病院で、うつ病「完治」の診断がでました。
やっとこの日が来たのです。
すべての事にすなおに感謝することができました。
そして翌年、私は思い切って新しい料理教室を開きました。オープンに
はもちろん主人も手伝いにきてくれました。
今までのことは嘘のような健康な顔つきです。やっと健常者として普通
に外に出られるのです。
また、良いことも続きました。新しい会社に就職が決まったのです。
そして、両家の両親に会うための広島行きの日が来ました。
ずっと本当のことが話せなかった三年間でした。

新幹線では逸る気持ちを抑えながらも、ずしっと気持ちを落ち着けたのですが、駅についてタクシーに乗った途端に、涙が溢れてあふれて、家に着くまで止まりませんでした。

「やっと両親に言える」

「安心してもらえる」

両親の存在は大きいものでした。よくぞ三年間頑張ったと自分自身をほめたい感情と、居るだけで支えてもらっていた両親へ、心配させたけど、やっと喜んでもらえるという思いが入り混じって、体中がいっぱいになりました。

母は「よーく頑張ったね！、偉かったねえ」と言い、父は「よかった、よかった」と、と五〇を超えた私の頭をなでたり、体をさすりながら涙で喜んでくれました。

それから私は心の底にあった「自分の主人を全力で支えなければ」という踏ん張りが泡のように溶けていきました。

この日が来た

そして十一月九日、三年間ずっといっしょだった主人が社会復帰です。

この日が訪れるのをどんなに待っていたでしょうか。

新婚でもないのに、前日から「私は明日からひとりだ。ひとりぼっち?」なんてセンチな気分にもなっていました。

当日は主婦としてしっかり和食を用意し、家族三人で一緒に食べたのです。

「この食事で、復帰できたんや」としみじみ思いながら…。

三年前のカッターシャツにネクタイを締め、スーツ姿。車に乗って
「とうちゃん、行ってらっしゃい」

「かあちゃん、行ってきます」

遠くのカーブで車が見えなくなるまで手を振っていました。

いつもの主人、いつもの道、ここを主人がひとりで社会に出ていったのです。

「うれしい！　あー、うれしい」この日が来た。

私は思わず「ケセラセラ」を口ずさんでいました。

かあちゃんの味レシピ

・三分づき雑穀ごはん
・豆腐とじゃがいもの味噌汁

豆腐とじゃがいもの味噌汁

【材料】（4人分）
じゃがいも…100g　絹ごし豆腐…100g（1/3丁）　たまねぎ…80g
にんじん…20g　油揚げ…1/2枚
わかめ（カット）…大さじ1
小ねぎ（小口切り）…少々
だし汁…5カップ　味噌…50g

①じゃがいも、にんじんはきれいに洗って皮付きのまま、いちょう切りにする。たまねぎは薄切りにし、油揚げは熱湯にをまわしかけて油抜きし、2cmの長さの細切りにする。
②鍋にだし汁と①を入れて中火にかけ、煮立ったら火を弱めて5～6分煮る。
③野菜が柔らかくなったら、サイコロに切った豆腐、わかめ、味噌を加えてひと煮する。器に盛り小ねぎを散らす。

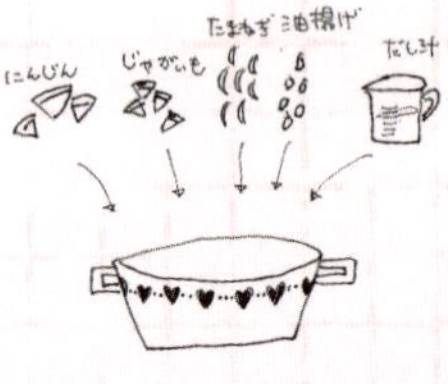

＊だしのとり方基本
昆布…10cm（昆布は千切りにして味噌汁、煮物、和え物に入れ再利用する）
煮干…30g　水…1.5ℓ

三分づき・雑穀ごはん

【材料】
三分づき米…2合
雑穀米…大さじ2

＊三分づきご飯とは？
玄米から三分表面をそぎ除いたもの。白米に近いほど五分、七分づき米となる。お米屋さんで頼むか、家庭用精米機でできます。

①米を洗う。三分づき米を流水で洗い流しながら、やさしく混ぜるように4～5回水を替える。
②炊く。炊飯器に米を移し、雑穀米を加え、二割多めの水加減にして1時間以上おいて吸水させ普通に炊く。
（軟らかく炊くには前日の晩に仕掛けて朝一番で炊くとおいしい！お好みでどうぞ）

かあちゃんの味レシピ

・芽ひじきと大豆のしょうが煮
・切干大根と芽ひじきのごま酢あえ

切干大根と芽ひじきのごま酢あえ

【材料】（４人分）
切干大根…30g 芽ひじき（乾）…5g
きゅうり…100g　塩…少々　にんじん…40g

A［米酢…大さじ２弱　砂糖（きび砂糖）…大さじ１ 1/3　塩…小さじ 1/2　すりごま…大さじ２　ねりごま…小さじ 2］

①切干大根は水にもどして 3cm の長さに切り、さっとゆでる。ひじきは水にもどしザルに上げる。きゅうりは細切りにして塩をふり、しんなりしたら水気を絞る。にんじんを千切りにし、さっとゆで、水気を絞る。

②Aを混ぜ合わせて①を加えてあえる。塩で味を調える。

芽ひじきと大豆のしょうが煮

【材料】（４人分）
芽ひじき（乾）…25g　水煮大豆…70g
にんじん…80g　油揚げ…１枚　こめ油…大さじ 1/2　しょうが（すりおろし）…10g

A［だし汁…2 カップ　砂糖（きび砂糖）…大さじ１ 1/3　しょうゆ…大さじ１ 2/3　みりん…大さじ１　酒…大さじ 1］

①芽ひじきは水にもどし、ざるに上げておく。にんじんは千切りにし、油揚げは熱湯をまわしかけて油抜きをし、細切りにする。

②鍋にこめ油を熱して①を炒め油が回ったらAと水煮大豆を加えて、ふたをして７～８分に煮る。しょうがを加えて味を調え火を止める。そのままおいて味をなじませる。

＊こめ油…玄米の力がそのまま入ったプレミアムオイル。玄米を精米するときに出る米ぬかを搾ったもので、玄米に含まれるビタミンＥなどの健康効果が凝縮されている上、酸化されにくく風味が良い。油の中ではイチオシです。

下記で製造販売しています。
築野《つの》食品工業㈱
〒 649-7194　和歌山県伊都郡かつらぎ町新田９４
TEL 0736-22-0061
FAX 0736-22-6069
HP http://www.tsuno.co.jp

かあちゃんの味レシピ
・SP（スーパー・パパ）ジュース
・もやしと春菊のぬきごあえ

もやしと春菊のぬきごあえ

【材料】（4人分）
もやし…1袋　にんじん…40g　春菊…1/4束　ごま油…小さじ2　ぬきご…大さじ1 1/2　塩…少々
A［しょうゆ…大さじ1 1/2　米酢…大さじ1 1/2　砂糖(きび砂糖)…大さじ1/2］

①にんじんは千切りにする。もやしとにんじんは熱湯でゆでざるに上げておく。
②もやしは3cmに切ってしぼっておく。春菊ももやし同様にする。
③ ボウルにAとごま油を混ぜ合わせ、その中に①②ぬきごを加えて塩で味を調える。

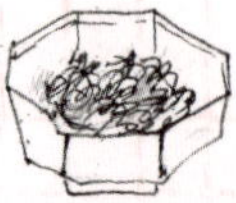

SP（スーパー・パパ）ジュース

材料　(2人分)
りんご…小1/2個(100g)　にんじん…40g　バナナ…中1本(150g)　ヤクルト400…2本　煮干…10尾　黒酢…30cc(米酢を代用するなら半量に)

①りんごは皮付き、バナナは皮をむいて2㎝に切る。にんじんは皮付きで1cmのいちょう切りにする。
②ヤクルト400、黒酢、煮干(頭とお腹はそのままのもの)と①を加えて、ミキサーにかける。煮干は新鮮なものを選ぶ。

下記の店で手に入ります。瀬戸内海産のものはランクがあるので一番安いもので十分です。(500gから売っています。)
(有) 柴崎商店
〒737-0823 広島県呉市海岸2丁目12-2
TEL 0120-22-9040
FAX 0823-21-0351
HP http://www.kaisanbutsu.co.jp

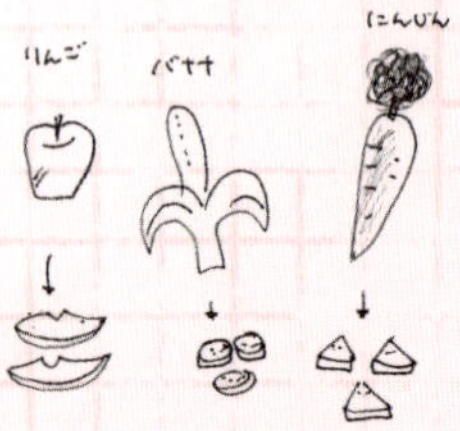

かあちゃんの味レシピ
・高野粉の含め煮
・きのこ春巻き

きのこ春巻き

【材料】(10本分)
春雨…50g　にんじん…30g　ニラ…1/4束　酒…大さじ2　ごま油…小さじ2　春巻きの皮　10枚　水溶き小麦粉…適量(小麦粉:水=1:2)　こめ油(揚げ油)…適量
A[生しいたけ…120g　えのきたけ…80g　まいたけ…50g　しめじ…100g]
B[しょうゆ…大さじ1　オイスターソース…大さじ1 1/2　砂糖(きび砂糖)…小さじ1]

①Aを食べやすい大きさに切る。春雨は熱湯で3分くらいゆで、やわらかくして、ざっくり切る。にんじんは千切りにし、ニラは1cmに切る。
②フライパンにAにんじん、酒を入れ、ふたをして蒸し焼きにする。にんじんがしんなりしてきたら、春雨、ニラ、Bを加えて炒めからめる。味を調える。
③②の水分がとんで味がしみこんだら、ごま油を加えてよく混ぜ味を調えて火を止めてさます。
④ ③を10等分にして春巻きの皮に包み、水溶き小麦粉をつけてとめ、180℃のこめ油でカラッと揚げる。

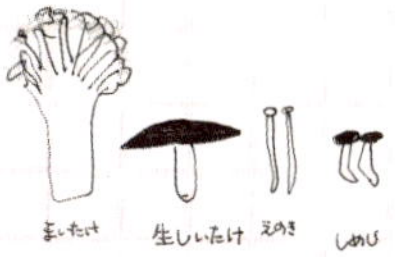

高野粉の含め煮

【材料】(4人分)
高野粉…50g　鶏ひき肉…50g　たまねぎ…60g にんじん…30g　白菜…100g　油揚げ…1枚　干ししいたけ…3枚　青ねぎ…2本　しょうが…8g
A[だし汁…250cc　干ししいたけのもどし汁…少々]
B[砂糖(きび砂糖)…大さじ1 1/4　しょうゆ(薄口)…大さじ1 1/3　みりん…大さじ1　酒…大さじ1　塩…小さじ1/3　こめ油…大さじ1]

①油揚げは熱湯をまわしかけて油抜きし、細切りにする。にんじんは千切り、たまねぎ、白菜は薄切りにする。干ししいたけは水のもどして軸を取り、乱みじん切りにする。
②青ねぎは小口きりにし、しょうがはすりおろしておく。
③鍋にこめ油を熱し、鶏ひき肉を入れ炒め、色が変わったら①を入れて炒めA、Bを加えて5~6分じっくり煮る。
④野菜が軟らかくなったら高野粉を加えて汁けがなくなるまで炒め煮し、最後に②を加えてひと炒めして味を調える。

＊高野粉とは…
高野豆腐を粉末にしたものが高野粉で、食物性たんぱく質、カルシウム、鉄分が豊富です。乾物なので手軽で重宝する食材です。下記で製造販売しています。
旭松食品(株)
〒399-2561 長野県飯田市駄科1008
TEL 0120-761-355
HP http://www.asahimatsu.co.jp/dkouya/

かあちゃんの味レシピ
・にんじんゼリー
・大豆じゃこごはん

大豆じゃこごはん

【材料】（４人分）
米（三分づき）…２合　大豆（水煮）…80g ちりめんじゃこ…30g こめ油…大さじ１　ごま油…大さじ１　三つ葉…２本
A［しょうが…15g　にんじん…40g
油揚げ…１枚］
B［昆布茶…大さじ１　酒…大さじ２］

①米を炊く１時間前に洗ってざるに上げておく。三分づきは水を２割り増しにしておく。

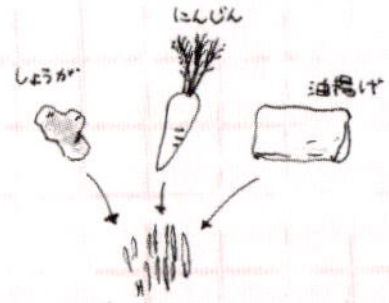

②Ａをすべて千切りにずる。
③フライパンを熱してこめ油とごま油を入れ、その中にちりめんじゃこを加えて炒める。
④炊飯器に水（２合より２割り増し）を入れ、①②③とB、大豆のみを加えて混ぜ、普通に炊く。
⑤30分は蒸らして器に盛り、三つ葉を散らす。

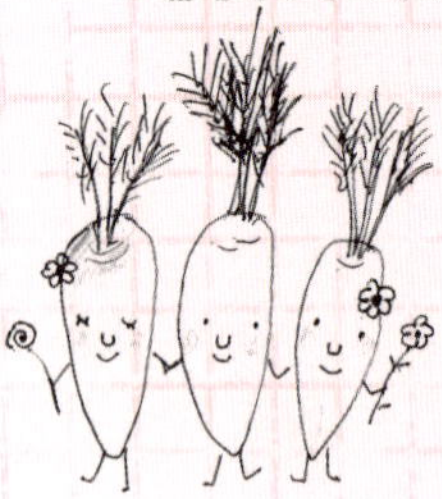

にんじんゼリー

【材料】
にんじん…60g 粉寒天…4g 水… 1/2カップ(100cc) オレンジジュース(果汁100%)…2 1/2カップ(500cc) 砂糖(きび砂糖)…70g

①にんじんをすりおろす。
②鍋に粉寒天と分量の水を入れ弱火のかけて溶かす。オレンジジュースと砂糖、①を加え混ぜながら沸騰直前まで煮る。
③②を型に流しいれて、あら熱がとれたら冷やす。

かあちゃんの味レシピ

・蒸し野菜のにんにく味噌かけ、いりこ味噌かけ
・おさつプリン
・かぼちゃケーキ

おさつプリン

【材料】(4人分)
さつま芋…200g
A [豆乳…100cc　牛乳…100cc　砂糖(きび砂糖) 大さじ3　粉寒天…4g　水…100cc]

①さつま芋は皮をむき、茹で、水気をきり、Aと合わせてミキサーにかける。
②①が温かいうちに別の鍋に寒天を水で煮溶かし、①を加えてよく混ぜ、カップ型に入れて冷蔵庫で冷やす。

かぼちゃケーキ

【材料】
A[米粉…140g　ベーキングパウダー…小さじ1 1/2　かぼちゃ(種なし)…200g]
B [牛乳(豆乳)…60cc　塩…小さじ1/4]
C [こめ油…50cc　砂糖(きび砂糖)…70g]
溶き卵…2個

①炊飯器の内釜にこめ油(分量外)を塗っておく。
②Aを合わせておく。
③かぼちゃは水でぬらしたペーパータオルで包んでからラップで包み、電子レンジで約4分加熱する。熱いうちに皮ごとつぶし、Bを加えて混ぜる。
④ボウルにCを入れてよく混ぜ、③のかぼちゃも加えてさらに混ぜる。この中に②を入れざっくりと混ぜる。炊飯器に④を流しいれ普通に炊く。竹串をさして出来てなければ再度炊飯器をスイッチON!

蒸し野菜のにんにく味噌かけ、いりこ味噌かけ

【材料】
さつま芋　かぼちゃ　にんじん　ブロッコリー　ごぼう　れんこん
蒸し器に入れて旬の野菜を蒸す。
●にんにく味噌
にんにく…1個(60g)　鶏ひき肉…100g
A [酒…25cc　みりん…50cc　こめ油…大さじ1]
B [味噌…250g　砂糖(きび砂糖)…180g]
C [すりごま…30g　しょうが(すりおろし10g)]
・にんにく味噌の作り方
①鶏ひき肉をさっとゆで臭みと余分な油を取り除く。
②にんにくは荒みじん切りにする。
③フライパンにこめ油を熱して②を炒めAを加え少し煮たあと、①とBを加えてゆっくり(20分くらい)煮る。(味噌によって塩分が違うので砂糖の量は好みで加減する。)
④③にCを加えて味を調える。
●いりこ味噌
A [味噌…250g　砂糖(きび砂糖)…200g　酒…25cc　みりん…25cc]
煮干(頭と内臓を取り除く)…40g
すりごま…30g
・いりこ味噌の作り方
①煮干をレンジにかけかりかりにしてすりばちでする。
② フライパンにAをよく混ぜておく。それから火にかけてゆっくり煮込み、このなかに①とすりごまを加える。

＊いりこ味噌の一部をとり、米酢を加えて酢味噌にしてもおいしい。

うつには「ぬ」「き」「ご」

うつには「ぬ」「き」「ご」

ここで彼女が意識して摂取するようにした三つの食品の成分を見てみましょう。

ぬか：漢字で書くと『糠』、米へんに健康の康と書きます。穀物を精白した際に出る果皮、胚芽などの部分のことです。その中に含まれるものはビタミンB1、B6・E・鉄・そしてうつに効果があるイノシトール（ビタミンB群の仲間）、その他マグネシウム、マンガンなど微量元素が含まれています。

きなこ：大豆を炒って皮をむき、ひいた粉です。ビタミンB群・鉄・亜鉛などを含んでいます。

ごま：必須アミノ酸であるトリプトファン・フェリールアラニン・メチ

オニンなど他の必須アミノ酸がほとんど含まれ、鉄・亜鉛・ビタミンB群も多く含まれています。

「ぬ・き・ご」には見事にセロトニンを作る材料が含まれていますね。食生活の次に仕事から離れる、家族がいつも見守り、サポートしている。これらがあいまって渡辺さんのご主人は見事にうつ病から回復できたのだと思います。

自殺者が多い国を世界で比較すると韓国、リトワニア、ベラルーシなどで日本は第五位です。低い国は、日本の六分の一以下のメキシコをはじめ中南米や地中海周辺のいわゆるラテン系の国々です。そして低い国では、腸内細菌のエサである**食物繊維**の摂取量が多いという疫学調査もあります。

腸内細菌の数は糞便の量に比例します。というのは糞便のおよそ半分が腸内細菌なのです。

その私たち日本人の腸内細菌が最近、急激に減少しています。戦前の日本人は一人当たり、一日約三五〇gの糞便量でしたが、最近のデータでは一五〇g程度にまで減少しています。中でもまともな食事をしないでスイーツを、食事代わりにしている若い女性ではその半分くらいしかありません。日本人の食生活が欧米化した結果、食物繊維の摂取量が極端に少なくなりました。ここで第二次世界大戦のときのエピソードを紹介しましょう。アメリカ軍が硫黄島上陸作戦をしたとき、日本軍の兵士の数を野糞の量を測ることで推定したのです。そのとき日本人の糞便量はアメリカ人と同じだと考えたのですが、穀物を主食としている者の糞便量は約四〇〇g、それに対し、肉食をメインとしている者では糞便量は平均一五〇gだったそうです。ところが同じだと考えたものですから、日本人の兵力は相当数いると判断し、かなりの兵隊を投入して硫黄島の総攻撃が行われたのです。

ちなみに食物繊維の多い、いいウンチはガスが発生するので浮かびます。日本人の腸内細菌が減ってきたのは、腸内細菌のエサとなる**食物繊維**、オリゴ糖、発酵食品などを含む食品が減り、反対に腸内細菌が嫌う、保存料や食品添加物のはいった加工食品やジャンクフード（ファーストフード、スナック菓子、インスタント食品など）を好んで食べるようになったためだと思います。

栄養学ＡＢＣ

　ここらであらためて栄養学の基礎を簡単にふりかえってみましょう。前述の食物繊維は第六の栄養素といわれて注目されていると書きました。それでは五大栄養素とは？

誰でもすぐわかるのがエネルギーのもととなる糖質（炭水化物）、からだを構成しているたんぱく質、これを分解するとアミノ酸になります。そして脂質、エネルギーを貯蔵するタンクですね。残りのふたつは？ビタミン類とミネラルで体内ではつくることができません。

　人間が生きていくためには、体外から取り入れたもの（食べ物や酸素など）を使ってエネルギーや新しい物質を作り出す必要があります。それを代謝（メタボリスム）といいます。その生命活動の潤滑油的な働きをするのがミネラルで、微量で代謝調節を行ってるのがビタミン類と考えたらいいでしょう。

昔は生きていくためにはこの五大栄養素があれば十分といわれていました。ところが栄養にならない不要なものといわれていた食物繊維が，脂質、糖、コレステロールやNaなどをそのまま排出する効果があることがわかり、生活習慣病予防にも便秘やダイエットにも効果があるということも判明、飽食の時代といわれる現代ではにわかに注目され第六の栄養素といわれるようになったのです。この世に無駄なものはない、いわゆる無駄の効用というわけですね。

食物繊維

これには二種類あって水溶性と不溶性に分けられます。

水溶性の食物繊維が水に溶けるとゲル状になり胃のなかで食べ物を包み込み、さまざまな健康効果をもたらしてくれます。いわゆるネバネバ食品に多く、コンブやワカメなどの海藻類、里芋や豆類などの野菜、リンゴなどの果物などにふくまれています。食品としては納豆、きな粉、切干し大根、ひじき料理、豆料理、ゴボウ、酒かすがあります。粘着性があって胃や腸のなかをゆっくり移動するので、満腹感を得やすく、食べ過ぎを防いでくれます。また糖の吸収をゆるやかにして、食後の血糖の急激な上昇を抑えます。あとで詳しくのべますが、白砂糖のように摂取したとたんにすぐに吸収してしまう食品はインスリンが急激に出て、その後、急激に低血糖になりイライラ感が増します。うつと間違われる**低血糖症**になるのです。これがくりかえされるとすい臓のインスリン分泌細胞の働きが疲弊して糖尿病になってしまいます。するとこれがほんとのうつ病をおこしやすくするのです。ですから食後の血糖をゆっくり上昇させるというのはとても大切なことです。

そしてコレステロールを吸着して体外に排出する働きもしています。ここで注意してほしいのは食物繊維がはいってますという液体の商品がたくさんありますね。あのなかの成分ははいっているにははいってるけど、ずいぶん少ないのです。ましてや噛まない。これも問題です。噛むことが脳血流、とくに大事な前頭葉の血流が増え脳を活性化するのです。

高齢者世界一周記録保持者としてギネスブックにも二〇一二年に登録されたのが、福岡市在住の昇地《しょうち》三郎福岡教育大学名誉教授で、日野原重明先生の新老人の会の最高齢者でもあります。その健康法の第一が、一口三〇回噛むという習慣ですね。何を食べるかと同時に、どんな食べ方をするかもとても大事なことなのです。

不溶性食物繊維は保水性が特徴で、お腹のなかで水を吸って膨らみ、ときには一〇数倍にもなります。だからお腹がすきにくく食べすぎを防ぐこともできます。植物の細胞膜を作っているセルロースなど人間の消化液では消化されないので、糞便の量が増えて腸の蠕動《ぜんどう》運動を助け、お腹の掃除をする役目といわれています。枝豆、大豆といった豆類、ゴボウ、モロヘイヤなど植物性食品に多く、動物性食品にはほとんどありません。

昇地三郎先生

いずれのタイプも大腸内で発酵によって分解され、腸内細菌、とくにビフィズス菌の大好きなエサとなって腸内環境を整えてくれます。とくに水溶性食物繊維のほうが発酵されやすいのでビフィズス菌などは増えやすいのです。

このビフィズス菌は腸内細菌のなかで善玉菌といわれているものの代表で、乳酸や酪酸を作って腸内を酸性にすることで、悪玉菌といわれるウェルシュ菌など腐敗菌、病原性大腸菌の発育を抑えて腐敗産物の産生を抑制します。動物性たんぱく質や脂肪を好むのがこのウェルシュ菌で肉食獣の腸内にはこれがメインです。たんぱく質が腐敗すると悪臭が出ます。ですからウンチが臭いときは悪玉菌があなたの腸内を占拠していると考えられます。

また善玉菌がビタミンB群などのビタミン類まで合成しています。

日本人の食物繊維摂取量

国立健康・栄養研究所の報告では、日本人の摂取量は野菜摂取量の減少に比例して低下しています。一九五一年には一人当たり一日二七gもあったのが現在では一二gと半分以下です。

アメリカでは日本の野菜摂取量の減少とは対照的に、ずっと増加していて、全がん発生率は減少しているのを知っていますか？　日本人の死因も一九八一年に脳卒中を抜いてがんが第一位になって以来、もう三〇年以上、増加を続けています。アメリカではがんによる死亡ももう二〇年、減少の一途をたどっていますが、意外と知られていませんね。一番の原因は食生活の変化だと思います。一〇六〇年代の日本は豊かな豊食でした。一九八〇年代になって飽食の時代といわれるようになりました。

それが今は崩食、いや呆食かもしれません。

　それを裏付けるデータがあります。前述の岩村暢子さんはこの一五年、首都圏一三〇家族を一週間にわたり、朝昼晩三食とも使い捨てカメラで写真撮影をし、アンケートを取りそのうえで面接をして調査するという食ドライブという手法で定性的な調査をしています。同じような調査はいろいろありますが、まるで実情を反映していません。一日だけとか、三日だけのアンケートでは模範解答を書く主婦が大半です。岩村さんは広告会社のスタッフですから、正しいデータを各企業に提供して、これからのトレンドデータを紹介するのが仕事ですから実態を知らないと、企業からの信頼が失われ二度とお呼びがかからないという非常にシビヤな状況を非常によく知っています。例えば今では、各家庭でアメリカのように食卓にはサプリメントがあって足らない栄養素（カルシウム・ビタミンCやEなど）を補っていますというのはもう、過去の認識だそうです。二〇一〇年からはアンチエイジングの方向に向いていて、そんなサプリよりも主婦個人のための若返り、ヒアルロン酸、コラーゲンなどのコマーシャルを見聞きする時代に突入したということです。二〇一一年三月一一日の東北大震災の後、外食が減って内食になった。絆が大切というマスコミのキャッチコピーは実情にはあってない。計画停電というのをいいことに、電子レンジでチンするだけの食品が多用されているのが現実です。自分で材料を買って一から調理する方が増えたわけではないというのが現状だそうです。いつからこんなことになったのでしょうか。岩村さんは一九六〇年くらいからの学校教育のなかで、調理実習よりも栄養学の知識優先の教育にあったと見ています。またお母さんがキッチンに立って調理するのを見て育つと、子どもは必ず真似したい、やらせてというようになります。それを危ないから、まだ早いからといって遠ざけてしまうと子どもは自分で調理することは大事なことではないんだという価値観を植えつけられてしまいます。そして学業が忙しくなり、食べ物はとりあえず買ってきてすぐ食べられるもので十分。ときにはジュース、錠剤ですめば食事の時間よりももっとお金になることに時間を使ったほうがいいという人々が増えてしまったというように思います。

だから病気になっても病院でいい先生に診てもらい、いい薬を飲めばすぐ治るから現代では病気だってそんなに心配することではないと思っている人も数多いと思います。

医食同源という言葉があるように、食でなった病気は食で治す。古代中国で皇帝の一番トップにくるのが**食医**だったそうです。でも現代人で食の誤りが病気のもとと思って、食事をしてる人はどれくらいいるでしょう。とりあえずカロリーがあるものを、胃の中にほうりこんで仕事優先という、エサみたいな食事をしている人が多いのではありませんか。病気はメッセージです。そんな生活スタイルを見直しなさいという警報です。それを素直に聞いて、改善するとガンもうつ病も見事によくなっていくのです。薬だけに頼っていたらよくならない、生活習慣病だという認識を持たねばなりません。これからは「薬離栄養学」ですね。

うつ病と誤診されやすいのが**低血糖症**です。糖尿病とは関係がありません。多くの医師は糖尿病の薬の飲みすぎで起こるとか、インスリン（すい臓から出るホルモンで血糖を下げる働きをする）が効き過ぎておこるという程度にしか理解していません。その診断法にしても糖負荷試験といって七五gのブドウ糖を飲ませてその後の血糖を検査するという診断基準は服用後、二時間までしかチェックしません。その後四、五時間目に起こってくる低血糖（五〇～六〇mg／ml以下）のことです。医学教育でも聞いたことがありませんから、医師が知らないのも当然です。

脳の重さは体重のわずか二％しかありませんが、酸素やブドウ糖の消費量はからだ全体の二〇％にも達するので真っ先に悪影響を受けるのが脳なのです。高血糖よりも大変危険です。これは大変ということで、この過度なストレスにたいしてからだは自律神経のうち、攻撃態勢のときに働く交感神経をフル稼働して副腎からアドレナリンを大量に放出し、そのおかげで肝臓にストックされていたグリコーゲンを分解して血糖値をあげます。アドレナリンは別名、なんと呼ばれているか知っていますか？「怒りのホルモン」です。つまり心臓に鞭打ってエンジン全開状態、ドキドキ、血圧上昇、手の平に汗はべっとり、イライラ、震え、不安がひどくなり、ときには凶暴性を発揮したりパニックになります。

ときには脳にいくエネルギーが減ってしまい集中力の低下、眠気、気分のおちこみを生じます。そしてからだが常にだるい、朝起きられない、学校や仕事へ行けないということで「慢性疲労症候群」という診断をつけられることもあります。

ある二三歳、男性の例を紹介しましょう。他院でうつ病と診断され抗うつ薬を処方されていました。ところがどんな食生活をしてるか、書かせてみるとこれがもうむちゃくちゃ。ご飯や菓子パン、フライドポテト、スナック菓子をメインにコーラは一リットル瓶を何本もあける。夜中にお腹がすいてチョコレート、アイスクリームといった状態でした。

ある若いＯＬはいつも二本の練乳を持ち歩いて、イライラするとそれを口にいれ、それでイライラが治るというのです。また別の主婦は毎日、ジャムをひと瓶、あけるくらい、私はジャムが大好きなんですと公言してはばからない。いずれも数時間後にひどい低血糖症になっている症例ですが、自分ではこれがおかしいと思ってないのです。

日本で初めて栄養療法でうつを治す治療をはじめた、**新宿溝口クリニックの溝口徹先生**は、まず血糖値を急激に上げる食べ物を避ける指導を始めました。食事の回数は一日に三～五回、一回の量を少なくして、同じ食べるにしても順序があります。「菜さき」と覚えてください。野菜などカロリーが少なくお腹がふくれるもので先に胃をいっぱいにするのです。そしてひと口、三〇回噛むこと。一回、食べ物を口にいれるごとに箸をおくといいですね。そして食後の散歩です。セロトニンを増やすには運動も大切。とくに食後に血糖が上った状態で筋肉を使う運動をすると、そのときに使われる糖はインスリンを必要としないのでこの時間の散歩がオススメです。そして七か月後の自覚症状では不安、あせりが消失。毎朝、決まった時間に起きれるようになり、体重は八kg減少して、からだが軽くなりました。いろんなことに挑戦しようという意欲が湧いてきて、専門学校に通うことができました。

食べた物は消化されて、血液の中にはいります。そのスピードはゆっくりがいいのです。

なま物ほど遅く、精製されたものほど早くなります。糖分の多いジュースの類は急激な血糖の上昇を招きます。するとこれは大変とばかりに、インスリンが急激に出て血糖を下げます。すると上った血糖が急降下します。飛行機で考えてごらんなさい。急激な上昇、下降をくりかえしたら乗客はたまったもんじゃありませんね。その状態がイライラ、不安、恐怖、怒り、つまりアドレナリンの急激な上昇の結果です。

うつに誤診されやすいこの低血糖になりやすいハイリスクグループは、ジャンクフードに浸かり、コーラなどの甘い飲み物ばかり取っている若者が一番危険だと思います。だからこそ、小さいときに自分でキッチンに立つ、ごはんとみそ汁と作って食べるという基本的なことをきちんとできるようにしておくことが、自立した大人の第一歩だと思います。

若者たちの暴力事件の最たるものが、一九七二年の浅間山荘事件ですね。その連中のリンチ殺人事件の原因を食事の面から考察したのが、故川島四郎先生でした。川島先生は著書『まちがい栄養学』（新潮社刊）の中で連合赤軍の暴虐と食物という章をもうけて、彼らの食事を紹介しています。冬の浅間山ですから青野菜などナマものは全くありません。インスタント食品と缶詰が主たるものです。著しいカルシウム不足があったとありました。カルシウムは天然の精神安定剤の役目があることが、モルモットの実験からも証明されています。

生活習慣と免疫力

うつになると免疫力が低下するというのは聞いたことがあるでしょう。ウイルスやがん細胞を直接攻撃するリンパ球の一〇％を占めるＮＫ細胞（ナチュラルキラー、天然の殺し屋の意味）の活性と生活習慣の関係を大規模に調査した興味深いデータがあります。大阪大学の森本兼もと教授は、産業医として数一〇万人の会社員を一〇年以上にわたり、食事、栄養バランス、睡眠、喫煙、運動、飲食、労働時間、ストレスの八項目を質問表にして、同時に免疫力と染色体の変異度の追跡調査をしま

図４　あなたのライフスタイルをチェック！（森本の８項目）

以下の質問について当てはまるところにチェック☑印をつけてください。

□１　毎日朝食を食べていますか。

□２　１日平均７～８時間寝ていますか。

□３　栄養バランスを考えた食事をしていますか。

□４　たばこは吸わないですか。（吸わない人は○）

□５　運動やスポーツを定期的に行っていますか。（週に１回ぐらいはジョギングやテニスなどの運動をしていますか）

□６　お酒は適量（ビールは大びん１本。お酒はお銚子１本ぐらいまで）に抑えていますか。

□７　労働時間は１日平均９～10時間以内にとどめていますか。

□８　自覚的なストレスは多くありませんか（普通以下だと思われる人は○）

（『遺伝子が人生を変える』PHP 研究所刊より）

０～４個……悪い
５～６個……普通
７～８個……良い

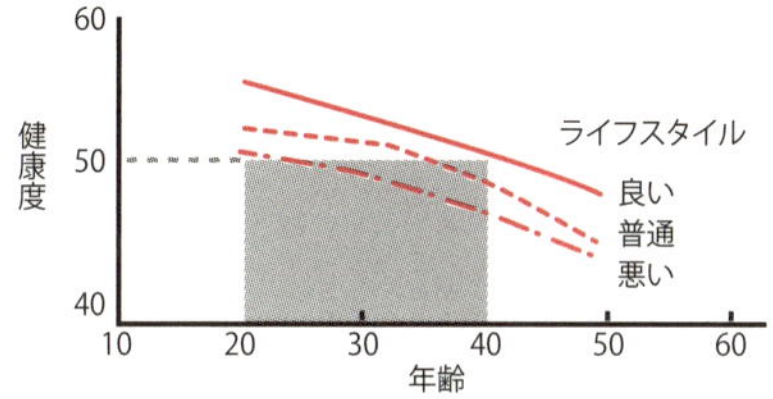

ライフスタイルが「良い」のグループは、いずれの年齢層においても健康度が高い。驚くべきことにライフスタイルが「悪い」グループの20代における健康度は「良い」グループの40代における健康に相当する。

した。この質問表の結果と血液のデータを重ねてみると、ライフスタイルのよい七点以上のグループは、NK細胞の活性も高く、染色体の変異もそれほど見られませんでした。ライフスタイルの悪い四点以下はNK活性も低く、かなり染色体に変異が見られました。染色体が傷つくとがんになりやすいということは知ってますね。免疫力が低下すると発がん性率も上がります。

八点満点のうち、男性は平均四点、女性は五点で、この一点差には喫煙が一番大きく影響していました。この（**図4**）からわかるとおり、ヒトは年齢とともに健康度は低下しますが、その下がり方に差があり、ライフスタイルの悪い二〇代は、なんと四〇代のライフスタイルに相当するということです。これが年の取り方に大きく差が出る理由でもあります。

養生を心がけるかどうかで老化速度は二倍になり、ライフスタイルを改めなければ、四〇代で生活習慣病やがんを発生しやすくなるということですね。

ストレスと免疫力の関係について、一九九五年一月一七日の阪神大震災の被災者のストレスと免疫力の関係を調べたデータでは、親兄弟や親しい人たちを一瞬にして家の下敷きや火災によって亡くした人の心の傷は、五年たった後でも癒されることなく、多くの人々の心を傷つけたままであることがわかりました。心の傷は、心的外傷後ストレス障害（PTSD）とよばれていますね。被災一年後の調査では、PTSD得点の高い（心の傷がまだ大きく残っている）グループのNK細胞活性は、ほぼ回復したグループの半分で、さらに被災二年後の調査でも、この傾向は同じでした。でもまわりの人たちからの人間的な暖かいサポートを強く受けていたグループでは被災一年目では得点が低かったものの、二年目にはＮＫ細胞の活性が明らかに上昇していました。心のケアと免疫力には相関関係があることがわかったのです。

次に大切なのが**息の仕方**です。

口呼吸がいろんな病気のひきがねになるから、その予防はまず口を閉じて鼻から呼吸する習慣をつけること。まさにことわざにある「病は口からいりて、災いは口から出ずる」ですね。鼻呼吸（ノーズ・ブリージング）がとても大切で、その習慣をつける方法のひとつとして「あいうべ体操」が今、全国で静かなブームになっています。

赤ちゃんは別名、ノーズ・ブリーザーといって鼻呼吸する人というとおり、鼻でしか息できません。だから鼻が詰まると苦しがるので昔はお母さんが、よくじかに鼻水を吸ってあげる光景を見たものです。ヒト以外の哺乳類の動物は鼻は呼吸のため、口は食べるためとはっきり役割が区別されています。ところが言葉を使うようになったことで口と気管がつながり、誤飲ということがおこったり口呼吸という健康を害する悪い習慣もできたのです。鼻呼吸と口呼吸の違いを比較してみましょう。

吸い込んだ空気は、鼻腔を通るあいだに、異物をひっかけ肺の末端では湿度一〇〇％で三七度になります。冷たい空気が前頭葉を冷やします。

口呼吸では冷たい空気がそのまま気管にはいって、気管支の収縮をおこしたり、本来、鼻腔で取り除いていたチリが直接、肺に届きます。そして口をあけたままでいると口が渇いてきますね。乾燥して粘膜から水分を失います。ドライマウスになります。口腔内乾燥は歯周病やムシ歯が悪くなり、悪玉菌が増え免疫能が低下します。一日の呼吸量を考えた

図５　口の開閉と抑うつ度

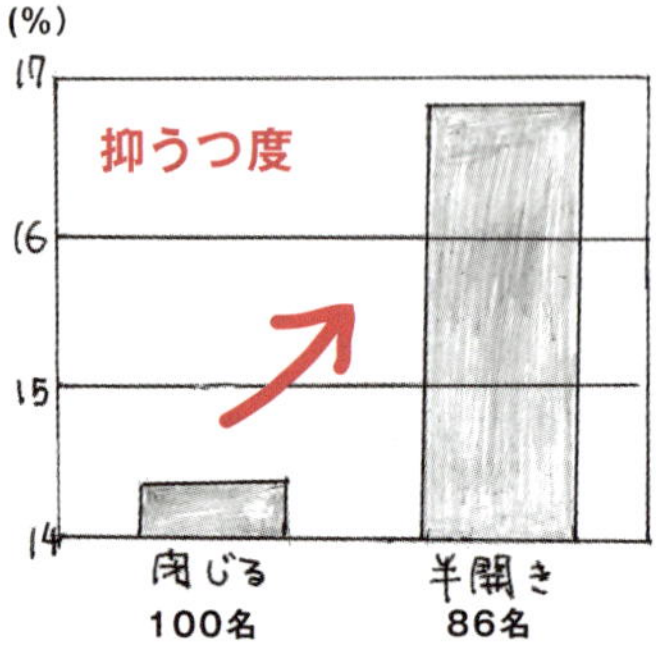

図６　口の開閉と疲労感

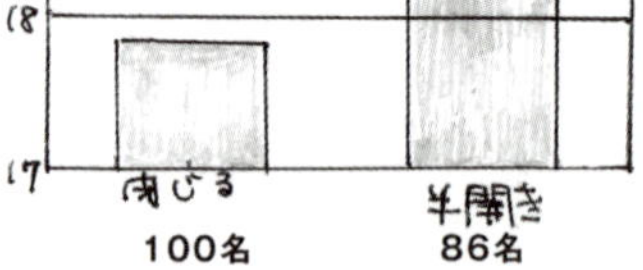

ら、ものすごい量ですが、それが鼻というフィルターを通らないで直接、体の内部に侵入すると呼吸器の病気になる危険性が高くなるのです。いびきをかいているのも口呼吸。ため息をつくのも口呼吸ですね。口があけっぱなしというのは、しまりの悪い顔の代表でしょう。

そこでまず口を閉じ、舌を上あごの先につけ、大きな口であー、いー、うー、最後にべーといって口輪筋や舌筋を鍛えるのです。これは博多のみらいクリニックの今井一彰先生が考案していま、ひろく全国に広がっています。その結果、うつはもちろん、リウマチ、アトピー、潰瘍性大腸炎（クローン病、安倍首相の持病）、慢性の便秘などに大きな効果を発揮しています。今井先生は口を閉じているか、半開きか一〇〇名近くのデータで、あきらかに口をあけていると抑うつ度が増し、疲労度もアップすることを証明しました。（図5-6）

また小学校のあるクラスでは担任の先生がクラス全員にあいうべ体操を指導した結果、他のクラスでは学級閉鎖が起こったのに、そのクラスだけは大丈夫だったという報告もあります。被災地で毎朝、これを指導した地域では風邪ひきさんが激減したという報告もあり、間違いなく免疫力アップにつながっています。詳細は今井先生と岡山大学の岡崎好秀先生の共著『口を閉じれば病気にならない』（家の光協会刊）をお読みください。

二〇一三年五月、八〇歳で三回目のエベレスト登山に挑戦する三浦雄一郎さんは独自のトレーニング法のなかに、舌だし体操を入れていますね。ヨーガにもこれがあります。舌を鍛えることが大事。それをしないとシタが寝たきりになります！

呼吸の仕方で自分のなかのセロトニンを増やすことができるのです。

生活習慣を変えることで健康になるとおっしゃるのが、東邦大学の有田秀穂教授です。座禅で用いられている丹田呼吸法（意識して下腹に力をいれて徹底的にはききる呼吸法）は医学的にいえばセロトニン呼吸法だということで、そのように名付けて全国的に広めておられます。そして朝早く起きたり、日光を浴びたり、定期的に軽い運動をする。またもらい泣きのように共感して涙を流す、これが前頭葉の血流をどっと増やすことを実験で証明し、週末号泣のススメを提唱しています。つまり泣ける映画を見ることですね。実際、大阪には週末号泣クラブというのがあって、友人が集まり部屋を暗くして（泣いてる顔を見られるのはお互い、恥ずかしいからだそうです）泣ける映画、例えばイタリア映画『ひまわり』などはおススメですね。これでソフィア・ローレンという女優さんがいっぺんで好きになったという方も多いかもしれません。もらい泣きというのは人間の大人しかできないことが分かっています。人の痛みを自分のこととしてとらえ共感するという、前頭葉が発達した人間だけができることだといわれています。

またグルーミングという言葉を知っていますか？　グルーミングというと、よくサル山で母猿が仔どもの猿のノミとりをしてる光景といわれますが、あれはノミとりではありません。毛づくろいといって肌の触れ合いなのです。手をじかに肌にあてるマッサージや、老人ホームでコンパニオンアニマルといってイヌやネコとふれあっているでしょう。あのときも前頭葉の脳血流が増加しているのです。セロトニン神経が活性化する方法はいろいろあるんですね。

実はこれが東洋医学と西洋医学の発想の違いなのです。欧米人は基本的に遊牧民ですから、敵を見つけてこれを倒す武器を考案するという考え方ですね。だから病気の原因が細菌であることがわかれば、抗生物質で叩くという手法を取ります。

ところがクラスの中にひとり、インフルエンザがいて全員が感染しますか？　しませんね。うつらない人がいるでしょう。それは体の免疫力が強ければ外圧に負けないということですね。それが養生という東洋医学的な発想です。だから鍛錬という自らを鍛えるという生活習慣が生まれました。西洋医学がはいる前から日本にだって病気がありました。そのとき昔からのいろんな養生法をして病気を防いでいたのです。戦後になって、抗生物質が医療に導入され、病気は病院で治してくれると思いこんで、養生を忘れた日本人がどんなに増えたことか、ここに問題があると私は思うのです。病院任せにしないであなた自身、やることがあるでしょう。

還暦の同窓会ではたいてい、どこか悪いところがあって、病気自慢が話題になります。その席では酒とクスリを交互に飲みながらという風景！

これおかしいと思いませんか。ですから気分が落ち込んだ時、安易に受診して薬漬けにならないことです。まず仕事を離れ、食事を見直し、じっくり話をきいてもらい、心のうちをはきだして、これまでの生き方を見直す機会にしてもらいたい。それがこの本で私が一番、言いたいことです。あの病気のおかげで人生が変わった。ライフスタイル、生き方を見直すようになった。これが生き甲斐の反対、「**病み甲斐**」だと思います。

人生のピンチ、それをチャンスに変える。ピンチはチャンスというじゃありませんか。**チャンスはチェンジ。チェンジはチャレンジです。**なぜピンチを招いたのか、いままでの生き方、考え方が間違っていたから。

新しいやり方、考え方にチャレンジする好機です。そのときはぜひ童謡『アメフリ』を思い出して歌ってください。

アメアメフレフレ、母さんがジャノメでお迎え、嬉しいな♪
ピンチ、ピンチ、チャンス、チャンス、ラン、ラン、ラン♪

うつ病の薬物治療の問題点

これまでの精神医学では、うつ病はこころの病気で従来の治療は、投薬とカウンセリングと休養が中心でした。しかしうつはこころの病気ではなく、脳を含めた免疫系、食生活、腸内細菌までも含めたからだの病気と考えた方がいいようです。精神科や心療内科の医者まかせにせず、人間本来の回復力を引き出すために、患者自身が自分自身をトータルに見つめなおすことが必要なのです。

これはガンの治療も同じです。私はがん患者さんとモンブラン・トレッキング（一九九七年）、日米合同がん克服富士登山（二〇〇〇年）、二〇〇三年の第一回一一〇〇人集会（末期がんから生還した一二六人がその体験を一二〇〇人のがん闘病者に語る集会）などを通じ、生活習慣病の代表、ガンは医師だけにまかせていては良い結果にはならない。よくなった方々は、なぜ自分ががんになったかを考え、その原因となる働きすぎというライフスタイルを見直し、食生活を改善し、こころの持ち方を変えると見事にがんとの共生ができるということを証明しています。うつ病も同じです。

『50歳を超えてもガンにならない生き方』（講談社刊）の著者、土橋重隆先生は初診のとき患者さんに「あなたはどうしてがんになったと思いますか？」という質問をすると、患者さんはキョトンとします。これまでそんな質問を受けたことはありませんでした。だって多くの方が運が悪かったと思っていて、自分のライフスタイル、生き方に問題があったなんて毛頭思っていません。

毎日の食事を工夫することでうつ病を治したカナダの精神科医、故エイブラム・ホッファー博士は、こころの病気の患者に対して、「あなたは今まで何を食べてきましたか？」と質問したそうです。

日本でそんなことを患者さんに聞く医師がおられますか。大半はうつはこころのカゼです。いい薬がありますから、休養をとってこれを飲んでいればすぐよくなりますと、わずかな期間で依存性のある、恐ろしい向精神薬を気楽に処方する傾向にあります。そのうえ、あの薬剤には自殺企図、殺人衝動というもっと恐ろしい副作用もあることがわかっています。自殺未遂をした方々の証言のなかに、「抗うつ薬を飲み始めたら死にたくなった」とか「どうして飛び降りたか覚えていない」というのもあります。

米国では、これまでたくさん使用した結果、三分の一は薬が効かないという報告さえあります。

臨床検査もしない、カウンセリングもあまり行われない、問診だけで診断して処方している日本の現状を考えた時、いくら専門医が少なく、患者が増大しているからとはいえ、これはゆゆしき問題です。私はがんの治療は三大療法以外の治療、とくに食生活を改めることで、ずいぶん改善している症例を見てきました。うつの治療にもがん治療と同じ問題があることに気がつき、うつを食事で改善した例に出会って、現在のうつ治療は一考の余地があると考え、本書を書こうと思いたちました。

うつの患者さんの数は二〇〇八年に一〇〇万人を超え、しかも半分が再発し、三人にひとりは薬が効かないといわれています。うつ病がここのカゼとよばれるようになったのは、一九九〇年代後半からで、誰でもかかるが休んできちんと治療すれば、すぐ治ると考えたためです。でもうつ病はそんな簡単なものではありません。患者の半分は再発し、四人に一人は治療を二年以上続けても治らない状態です。なぜでしょう。

うつ病治療の第一選択の薬剤はパキシルなどに代表されるＳＳＲＩ（選択的セロトニン再取り込み阻害薬）とは、どういう薬でしょう。

うつ病は脳内のセロトニンが不足することが原因という仮説のもとに開発された薬です。

セロトニンは消化管内や中枢神経系に広く分布しています。このタイプのうつ病を改善するためには、脳内にセロトニンを増加させればいいわけですね。
一九八八年に米国で「プロザック」という商品名で登場したSSRIは、神経細胞の末端からセロトニンが放出するのを助け、放出されたセロトニンが「再取り込み」によって神経細胞に連れ戻されるのを防ぐため、脳内にセロトニンが増加するという仕組みです。（図7）
この薬の登場で、うつ病は薬で完全に治るとされ、広く世界中に広まったのですが、薬が効かない、再発が多いという報告が相次ぐようになりました。それればかりでなく、SSRIに重大な副作用のあることが明らかになったのです。この薬を飲み続けていると、イライラがつのり、暴力的になったり自殺、または殺人などを引き起こすことがわかってきました。
この本の原稿の校正をしているときに、また大変なニュースが飛び込

図7　神経接合部で放出されるセロトニン

○　セロトニン：心のバランスを整える。

△　ノルドレナリン：興奮を伝達

んできました。二〇一三年二月一二日、結婚式に出席するためにグアムに行った日本人三人が無差別殺人の犠牲になったというもので、皆さんの記憶にもまだ残っているでしょう。あの犯人が抗うつ薬を持っていたと報道されましたね。きっと副作用だと思います。それにまきこまれた方々は本当にお気の毒です。

セロトニンは体内で合成できない必須アミノ酸のひとつ、トリプトファンを摂取することで、脳には腸からセロトニン前駆物質が送られてきます。ところがこれを作る腸内細菌が減少するような食事内容であったり、抗生物質をはじめ薬物などによって、前駆物質が作られない状況がうつ病の患者にはあるのです。それが問診の最初の問い、「あなたは何を食べてきましたか?」の真意なのです。

ＳＳＲＩを服用した事件の数々（不可解な犯罪）

事例　1

2007 年 5 月 . 会津若松市で高校 3 年男子生徒が母親を殺害し、切断した頭部を持って出頭。中学時代はスポーツマンのまじめな生徒。高校に行ってから学校になじめなくなり、4 月に市内の精神科を受診し、抗うつ病剤（ＳＳＲＩ：選択的セトロニン再取り込み阻害用）などを処方されていた。

事例　2

2005 年 12 月 . 京都府宇治市の学習塾で同志社大学 4 回生のアルバイト講師が小学 6 年生の女子生徒を刺殺。

彼は 2 年前から抗うつ剤プロメテールを処方されていたが、妄想や幻覚が出現、添付文書には「そのような症状が出たら中止」と書かれているのに、主治医は 1 日 2 回に増量し、翌日には彼は犯行を決意し、8 日後に事件を起こす。

事例　3

2005 年 2 月 . 大阪府寝屋川市の小学校で 17 歳の卒業生が刃物を持って侵入し、教員を後ろから刺殺。

彼は不登校から思春期外来を受診し、抗うつ剤を服用中。

事例　4

2001 年 . 大阪市教育大池田小学校での児童 8 人の刺殺事件の犯人もパキシルを処方されていた。

事例　5

1999 年 7 月 .　全日空ハイジャック・機長刺殺事件

犯人の青年を治療していたのは抗うつ剤（ＳＳＲＩ）を魔法の薬であるかのように宣伝していたこの薬剤普及の第一人者の精神科医。当時日本では未承認であったこの薬を個人輸入して青年に処方した結果、彼は悪魔的考えに取り付かれるようになりこの凶行に及んだ。2005 年 3 月の裁判で、裁判官は『犯行当時に服用していた抗うつ剤は攻撃性や興奮状態を出現させる副作用を伴う可能性があった。』として抗うつ剤による治療の影響で善悪の認識ができなくなっていたことを指摘している。

市民の人権擁護の会（ＣＣＨＲ）とは、一九六九年精神医学による人権侵害を調査摘発し、精神保健の分野を正常にするために設立された団体で、米国ロサンゼルスに本部を置き、世界三一か国に一三〇以上の支部があります。日本では一九九二年から活動を開始し、メンバーに環境問題評論家の船瀬俊介氏や心理栄養学者の、大沢博　岩手大学名誉教授らがおられます。その団体がこれらの殺人事件は抗うつ薬が関係しているとしてリストアップしています。　この中の事例五にあるように、裁判所でこれらの事件は、副作用と断定しています。

抗うつ剤（ＳＳＲＩ）が日本より二〇年以上前から出回っていた欧米諸国では服用後に自殺企図の衝動が抑えられなくなって自殺したり、反対に殺人衝動が銃乱射事件などを起こしている報告が相次ぎ、被害者からの声でようやくこの薬の危険性に強い警告が発せられるようになりました。その他突然死、依存症、異常行動などについても強い警告が各国で出されていますが、わが国では一般の開業医の下で広く普通薬のように出されているのが現状です。

次のページの図（図8-9）をごらんください。

図8

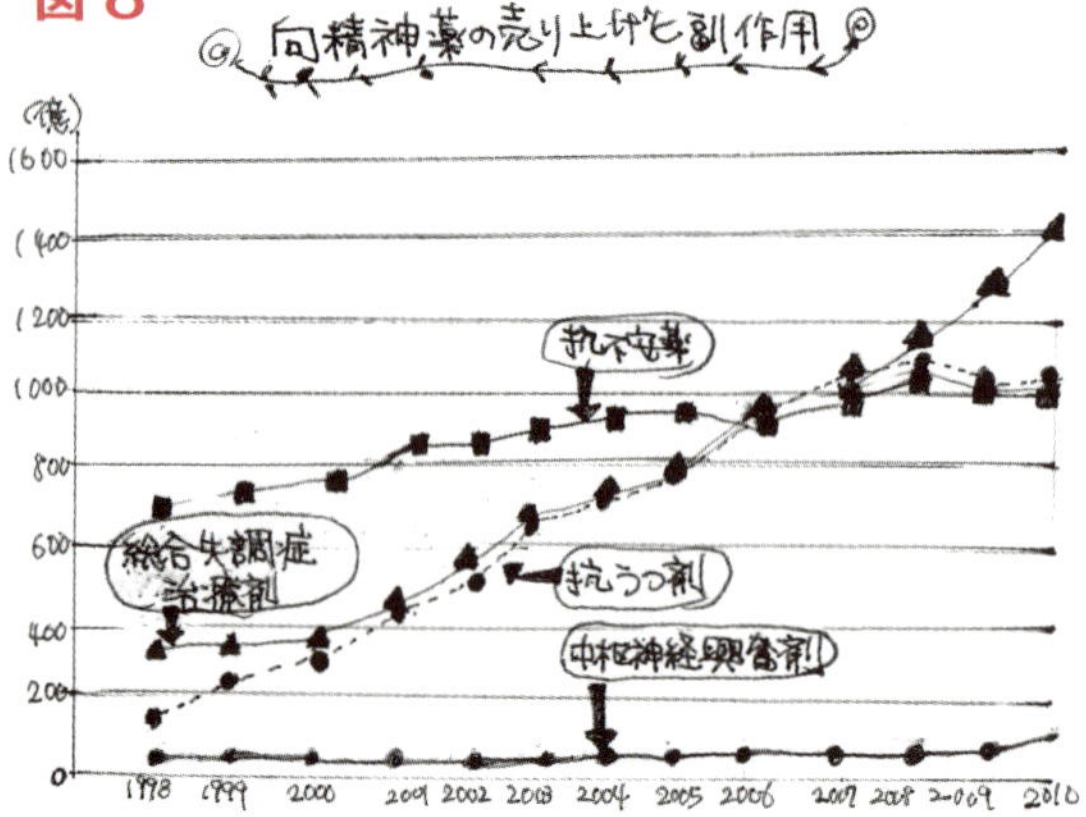

向精神薬の売り上げと副作用
(億)
1600
1400
1200
1000
800
600
400
200
0
抗不安薬
総合失調症治療剤
抗うつ剤
中枢神経興奮剤
1998 1999 2000 2001 2002 2003 2004 2005 2006 2007 2008 2009 2010

図9

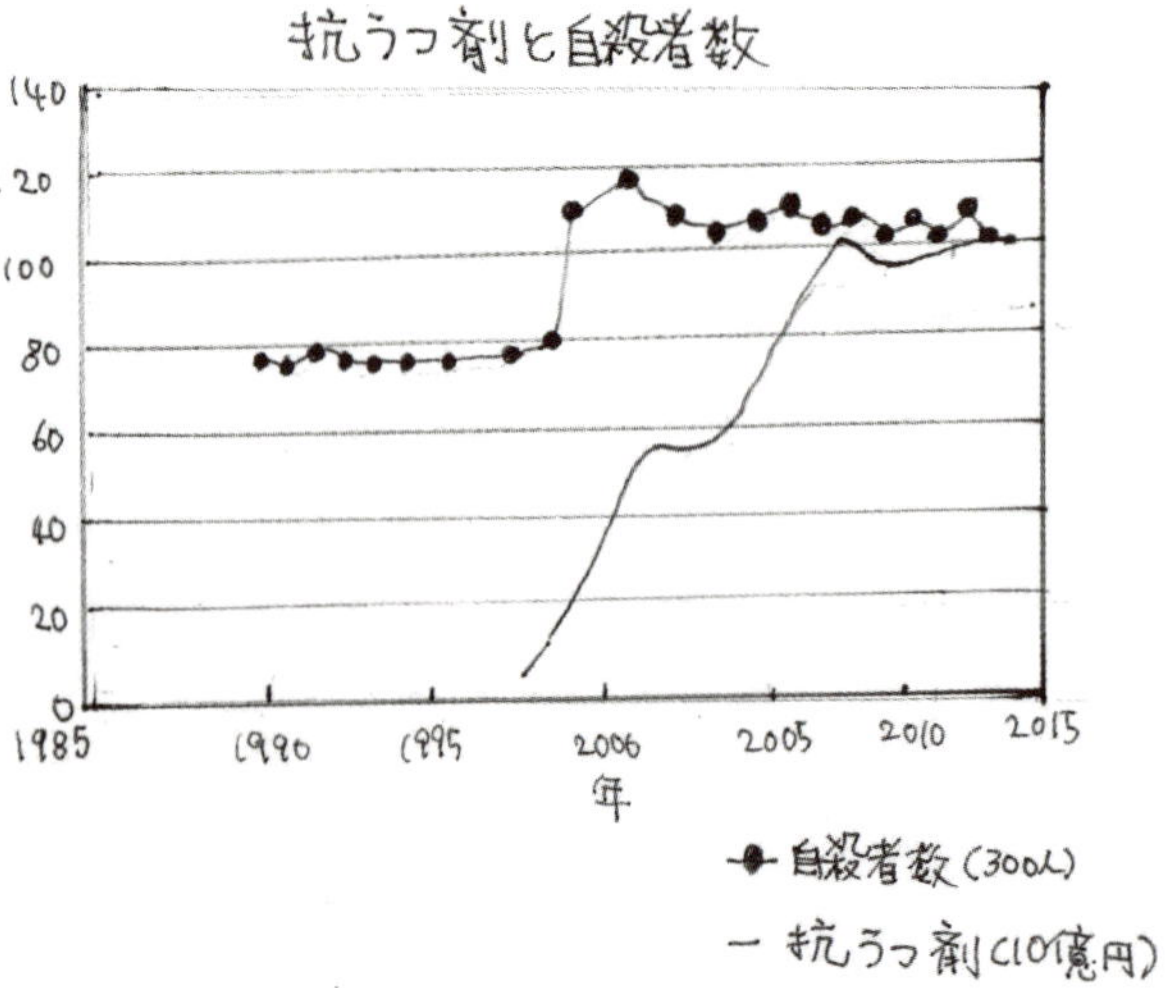

抗うつ剤と自殺者数
140
120
100
80
60
40
20
0
1985 1990 1995 2000 2005 2010 2015
年
自殺者数（300人）
抗うつ剤（10億円）

ＳＳＲＩという抗うつ薬は一九九九年くらいから日本で使われはじめました。その売り上げはものすごい額でしょう。製薬メーカーは笑いがとまらないというのを聞いたことがあります。この販売時期に合わせて自殺が急増しているのがおわかりですね。そして二〇〇九年五月、厚生労働省は、日本国内でＳＳＲＩが販売されるようになって一〇年の間に報告された二六八例について検討した結果、製薬会社に対して、ＳＳＲＩによって殺人などの可能性について注意を喚起する添付文書の改定を指示しました。すると、それにあわせて二〇一〇年から自殺者が減少傾向になったのは決して偶然ではないと思います。

セロトニンは、やる気にさせ心地よいという感情を作るドーパミンや、恐怖にあったときや覚醒時に放出されるノルアドレナリンなどの暴走を抑え、精神のバランスをコントロールする働きがあります。ところがＳＳＲＩを常用しているとセロトニン受容体が減少し、この働きができなくなり、これが攻撃的な行動と関係していると推測されます。その攻撃性が他人に向かえば訳がわからない暴力、行過ぎれば殺人になります。自分に向かえば自殺を引き起こすことにつながります。読売新聞が二〇一〇年の春、全国の精神科の医療機関にとったアンケートを行い、七割の施設が日本のうつ病治療は薬物偏重の傾向にあると答えています。欧米では抗うつ剤は一種類が原則とされているにもかかわらず、日本では過半数の患者に複数の薬を処方していると回答したところが一四％にもなりました。抗うつ剤はいくつも併用すると無気力やイライラといった副作用がでます。この多剤併用は日本独特の処方の仕方で、症状がひどくなったとき、副作用なのか処方量が不足なのかわからずに増量したとたん、殺人事件を起こした例もあります。

また、二〇〇九年に先端医療に認定された光トポグラフィー検査では、うつ病を双極性障害（以前、躁うつ病といわれていたもの）など他の精神疾患と誤診していた可能性が四割もあるという報告もあります。問診だけで医師が簡単にうつ病と診断してしまうことも問題でした。誤診したうえに、不適切な抗うつ剤の大量処方が続けられたら、どのような結果を生むか、もう明らかですね。

ある調査によると地方公務員の休職理由の四割がこころの病気というデータがあります。

その数は一〇年前の五倍にもなるといいます。また学校の先生方の割合は全国調査では、二〇〇九年度にうつ病が原因で休職した先生方の割合は五〇〇〇人を超え過去最多で、休職者の六割を占め、その割合は一七年間連続して増え続けています。一般企業の中でも同じ傾向で、一か月以

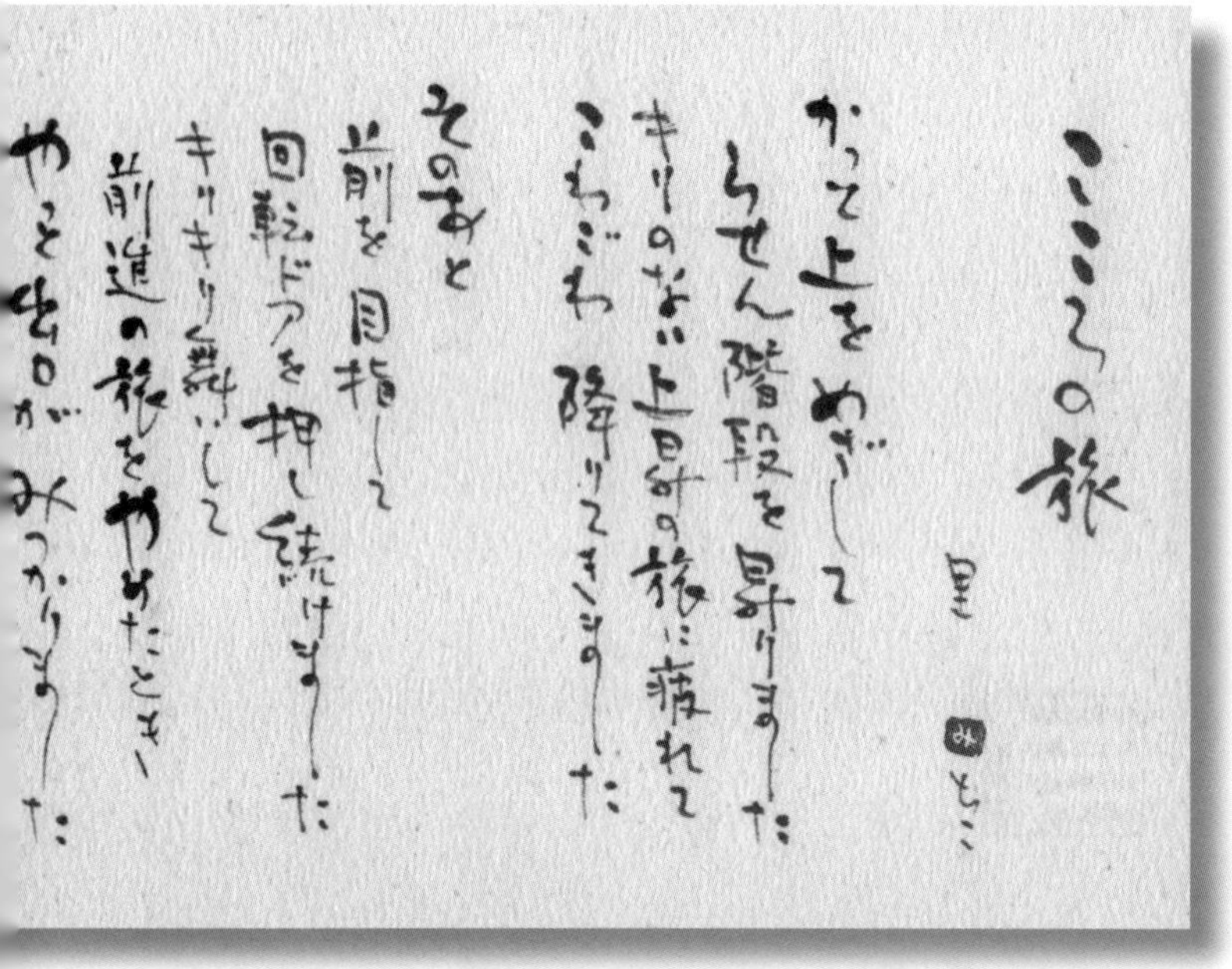

こころの旅

里みちこ

かつて上をめざして
らせん階段を昇りました
キリのない上昇の旅に疲れて
こわごわ降りてきました

そのあと
前を目指して
回転ドアを押し続けました
キリキリ舞いして
前進の旅をやめたとき
やっと出口がみつかりました

そしていま
少しずつ心の井戸を
掘りはじめました
ギリギリの選択の旅です
鈍行列車の出発です

終着駅

星みちこ

ここだと思った
やっとと思った
終着駅だと思った
降りてみると
執着駅だと気がついた
またまた歩く
まだまだ歩く
ただただ歩く

かこい チボチボ

上休職している人の割合は中小企業では六割、大企業では九割にも上り、うつ病と働き盛りの方々の自殺による社会的損失は、年に三兆円にもなるという報告もあります。まさに、うつ病はがんに次いで重大な社会的な損失をもたらす国民病だと思います。

健康講演会の依頼内容も以前は生活習慣病が主でしたが、近年はメンタルヘルス、二〇一二年はいくつかの町からはっきり、自殺予防についての講演を依頼されました。

バリバリやってるときは、しばしば過信と油断が育ちます。「正」しいやり方と思ってるけど、ちょっと見方を変えてごらん。「正」という字は一度、止まって考えるという字でもあります。私の友人、詩人の里みちこさんの詩をふたつ紹介します。

この詩の前で立ち止まり、繰り返し読むうち、今の仕事を辞める踏ん切りがついたという方がいました。病気になる前に、うつになる前にころの声を聴くのも大切だと思います。

自殺者数は一九九七年以後、一五年もの間、三万人を超えその半分近くはうつ病に処方される薬剤が関係しているだろうという報告もあります。そしてその半数が、亡くなる一年以内に精神科を受診しておりSSRIの副作用を考えると、適切な治療であったかどうかは大いに疑問があります。自殺未遂患者の証言に「あの薬を飲んでから、なぜか死にたくなった」というのまであるんです。さらに全国自死遺族連絡会が会員一〇〇〇人あまりの調査では、自宅からの衝動的な飛び降りで死亡した七二名は全員が精神科で治療中で、処方された薬はひとり、一日に一五錠あまりの量を処方されていたというのです。

うつ病の新しい診断法

うつ病の診断はこれまで問診だけで、臨床検査はこれまで行われてきませんでした。そのため、うつ病と診断されたもののなかには四割ものの誤診があるという驚くべきデータもあります。うつ病には抗うつ薬、双極性障害（そううつ病）には気分安定薬とまったく別の処方がされなければいけません。ましてや広く使用されている抗うつ薬に大変な副作用が問題になってるということになれば、出来るだけ正しい診断にもとずく治療をはじめなければ、年々増加の一途をたどる患者の増加は社会的にも、経済的にも大きな損失を生み、日本経済の活力をそぐとまでいいと思います。

二〇〇九年三月に精神科領域としては初めての画期的な臨床検査が導

図10

入され、先進医療として承認されたのです。それが『光トポグラフィー検査』といって日本の日立メディコが群馬大学精神科と共同研究して世界に先駆けて臨床応用できるところまできました。なによりすばらしいのは、これまで脳をCTやMRI（磁気共鳴画像装置）を使って画像診断する方法はありました。でもこれは患者さんの日常の自然な状態では撮っていません。ところが光トポグラフー検査は、脳が働く様子をリアルタイムで測定でき、装置も画像診断装置にくらべ、驚くほどコンパクトです。

（図10）のように赤と青の突起のセンサーで覆われた「鉢巻」のようなヘッドキャップを頭にかぶり、赤のセンサーから近赤外線が放たれ、青のセンサーがその光をキャッチする。この両者のセンサーの間に流れる血液の量を前後で測定します。脳血流を測るために、検査を受ける人には言葉に関するテストが出題されます。例えば「は」ではじまる言葉を出来るだけ多く口にすると脳は活性化します。

「歯ブラシ」・「歯医者」・「ハマキ」…。検査は五分程度で終了、結果はすぐにその場でわかります。一般的に、人は言葉を思い浮かべるとき、おでこのところの脳内にある、ヒトの精神の座ともいわれている前頭葉を活発に働かせます。言葉を発しているうち、それまで青かった前頭葉の部分がみるみるうちに、全体的に赤くなり血流量が増えていきました。考えるということは脳が一生懸命に活動する、つまり血流量が増えていきます。赤い線は前頭葉の脳血流量を表しています。健康なヒトの場合、検査が始まるとすぐに脳血流量が増加します。（図11）

図11

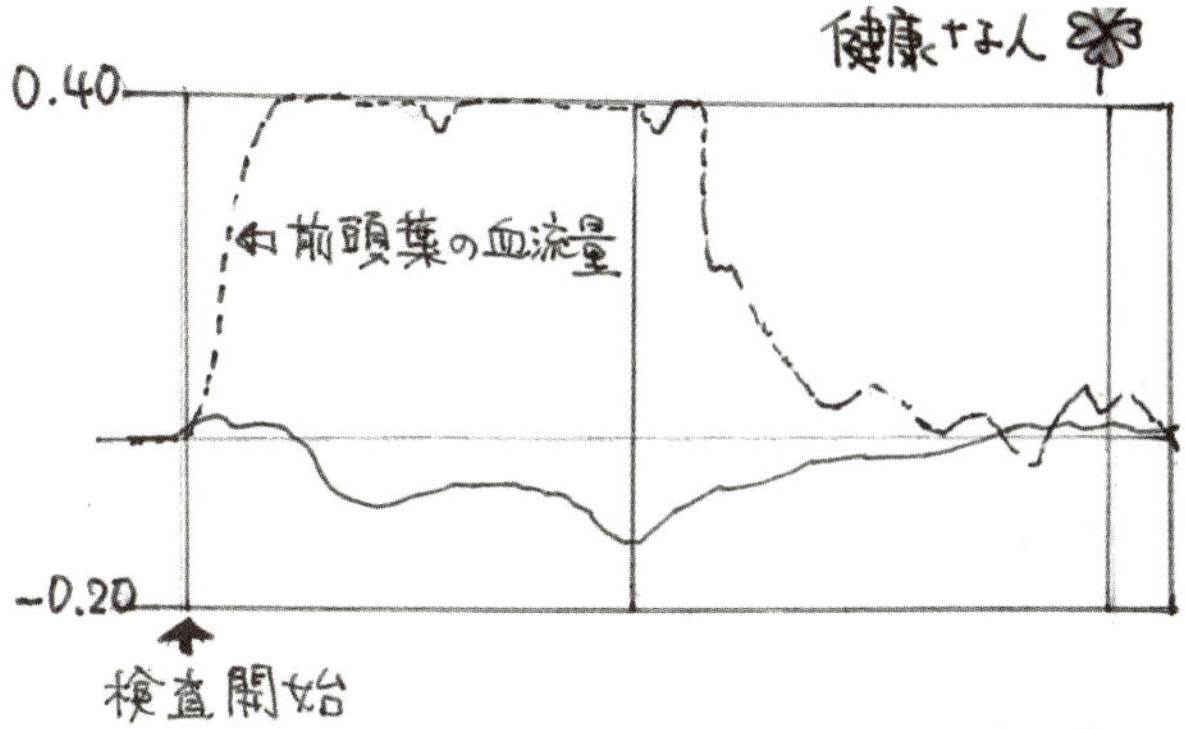
健康な人
0.40
前頭葉の血流量
-0.20
検査開始

図12

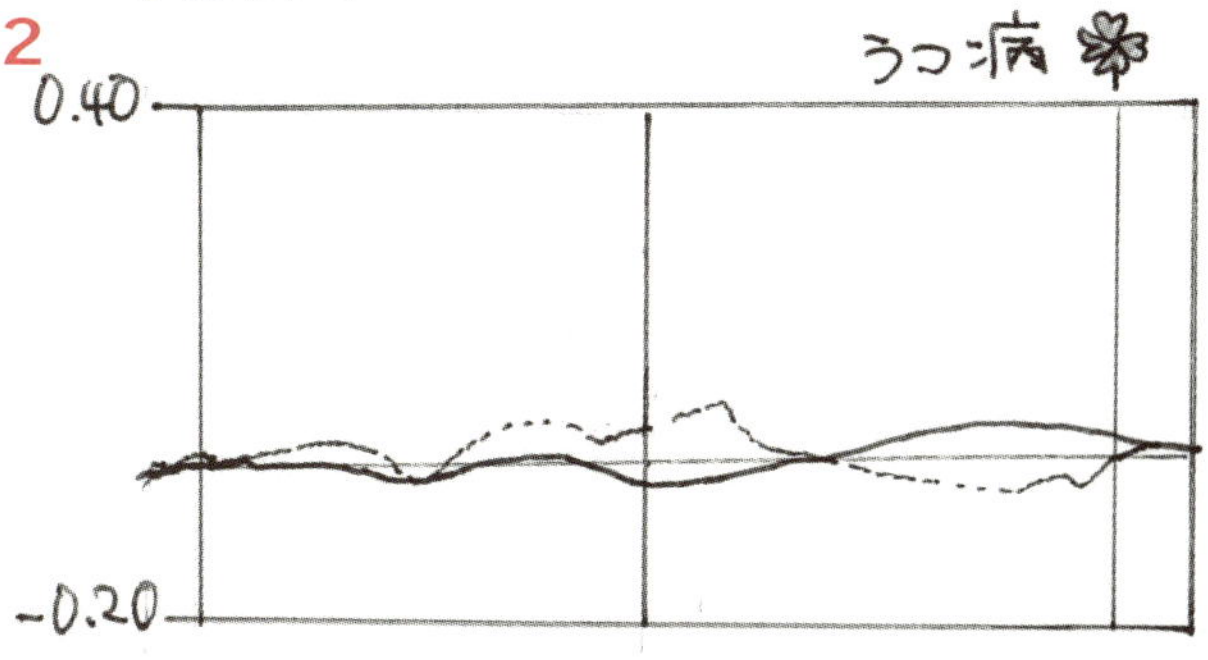
うつ病
0.40
-0.20

図13

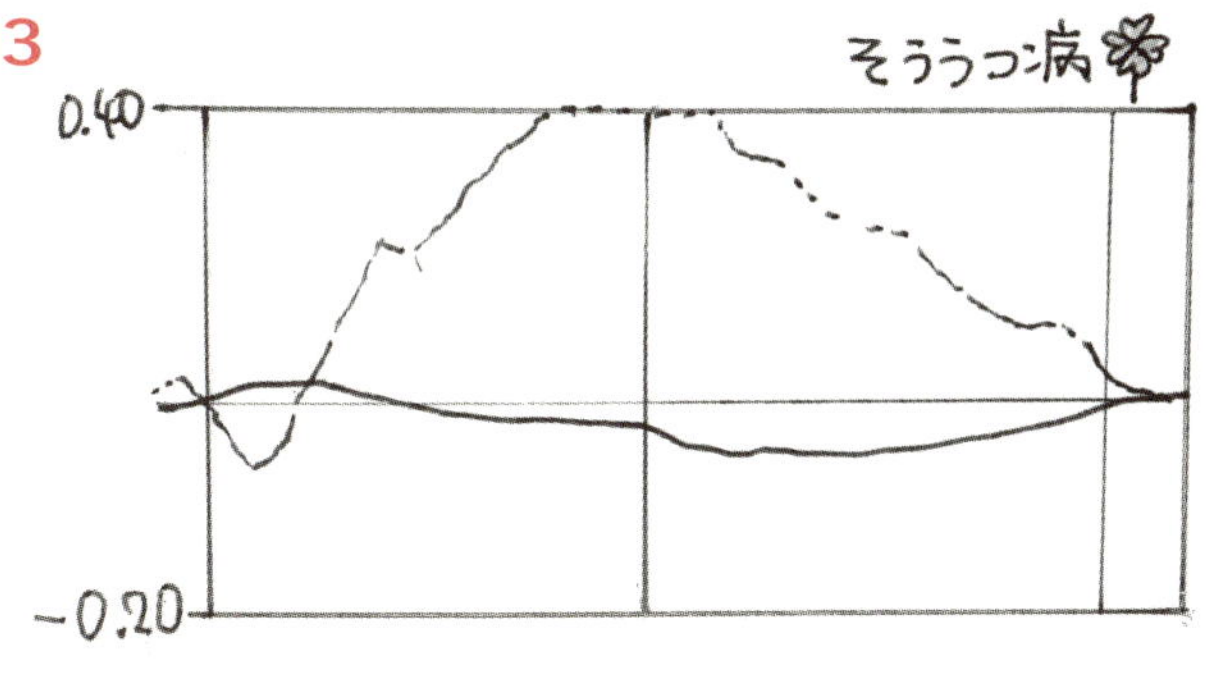
そううつ病
0.40
-0.20

ところがうつ病ではこのような動きにはならないのです。前頭葉の活動が低下しているので脳血流量がほとんど増えません。（図12）うつ病の方も一生懸命、言葉を発しようとしていますが、脳がちゃんと活動してくれないので血流量が増えないのです。それが「ちっとも楽しいと感じない」とか、「料理が美味しいと思わない」といった言葉は、典型的なうつ病の症状に対応する脳の反応を表しています。

いっぽう、双極性障害（躁うつ病）の場合、検査の後半から脳血流量が増加するという特徴があります。スロースターターというか、つまり最初はなかなかエンジンがかからないけど、やがて調子がでてくると、そのうち止まらなくなってやりすぎにつながってしまうという感じになります。のめりこんで過熱して、挙句の果ては疲れ果ててしまうという症状になると考えられます。（図13）

この検査では視覚的にその違いがでるので正確な診断につながります。費用は自由診療で一万三〇〇〇円くらい。新しい画期的な検査なので、これを導入した施設では予約でいっぱいということだそうです。より適切な診断とその病名にそった正しい治療がやっとこれで日本でもできる希望の光が見えてきています。

東北大学名誉教授で放射線科医師でもある松澤大樹先生は南東北病院に勤務し、X線CT、MRI、PETなど、とくに脳の画像診断の専門家です。脳の委縮と認知症は関係が無いことをつきとめた方でもあります。認知症をこれまで三万人以上、診療してこられた浜松の金子満雄先生も、認知症の一番の原因は廃用性萎縮と意見が一致しています。つまり使わないから退化するというわけですね。松澤先生は二〇年前に「松澤の断層法」という撮り方を確立し、それによると統合失調症（いわゆる分裂病）やうつ病には共通の所見があるというのです。左右の扁桃体に欠損像があり、記憶中枢の働きをする海馬の委縮が見られます。これが治療をすすめるうちに、その欠損した傷がよくなっていくとのこと。だからこの画像診断を定期的に行うことで治ったという判定もできるということでした。

この松澤先生もセロトニンの材料となるトリプトファンをたくさん含むバナナ、赤身の魚を食べる食事療法も大切だとおっしゃっています。そして運動することによってトリプトファンが増加してこれが脳に入って神経細胞の中でセロトニンになります。だから松澤先生の治療はすごく簡単、「バナナを食べて走れ」

うつ病の新しい治療法

ＴＭＳ（経頭蓋磁気刺激）（図14）

うつ病とは職場や人間関係の大きなストレスが原因となり、憂鬱な気分や不眠となり意欲の低下が長く続く病気です。いくつかの抗うつ薬を使ってみたが効果がみられなかった症例に対し、このＴＭＳは新しい治療法として最近、注目されています。

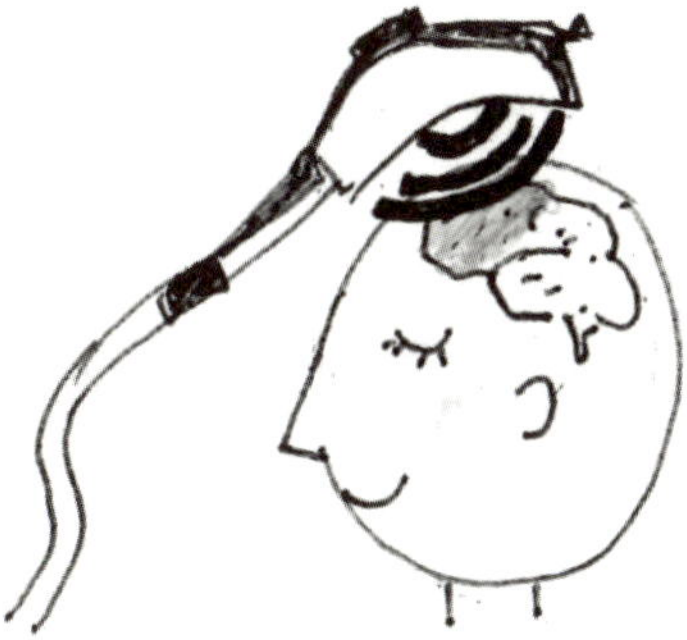

図14

うつ病になると脳の前頭葉の活動が低下し、血流が低下しています。

ＴＭＳは頭部に設置したコイルから電流を流し前頭葉の一部を刺激し、

その結果、血流が増加するのでうつ病が改善すると考えられています。これを頭を固定し四〇分間でおよそ三〇〇〇発の電流刺激を与えます。この治療週に五回、四週間続ける治療法です。ある患者さんの話だと、この治療を受けてから食べたいものが頭に浮かぶようになったという声が聞かれました。これは抗うつ薬では感じられない変化でしたとか。薬物療法では全身性の副作用がでることがあるが、これは脳の一部だけの刺激で治療中、軽い痛みはあるものの麻酔をするほどではないといいます。

自殺を減らす試み

日本の自殺の割合は米国の二倍、英国やイタリアの三倍です。

二〇一二年は二万八〇〇〇人を切り、一五年ぶりに三万人以下になりました。これは交通事故死の七倍で以前はあしなが育英基金は交通事故で親を亡くした子どもたちのためのお金でした。今では自死遺族のお子さんたちのために主として使われています。自殺者の数の減少は各地で真剣に自殺予防対策に取り組み始めた結果が出てきたのだと思います。二〇〇六年に自殺対策基本法ができ、やっとこれは個人の問題ではなく、地域を挙げて取り組んでいくべき社会問題だという認識が広がり、自殺対策を推し進める社会的基盤が整ってきた証しでもあります。

『「自殺社会」から「生き心地の良い社会」へ』（講談社文庫）の著者でもある清水康之さんは、二〇〇九年には三万二八四五人の自殺があったものから毎年、一〇〇〇人単位で減少し二〇一二年には二万七七六六人でした。この減少の背景には、次のようなことが考えられるとおっしゃっています。

① 地域自殺統計の公表

それまで警察の中に埋もれていたデータが二〇〇八年からは自殺実態白書という形で発表され、二〇一〇年には毎月、翌月には市区町村単位の自殺者の詳細が公表されるようになりました。これまでは対策を立てたくても、自分の地域でどれくらいの方が亡くなったのか実態がわからなくて、闇夜に矢を放つような対策しかできなかったのが、具体的にそれぞれの地域の実態に応じた手が打てるようになりました。

また自殺した人がひとりいると、まわりにいる人、五人は強い精神的衝撃から、なかには後追いという例がでてくるともいわれます。また社員に自殺者をだすとは、いったいどんな経営をしてるんだという経営者側の姿勢をとわれるようにもなります。働き盛りの方々が突然、命を絶つことによって経済的遺失利益が年間三兆円にもあることも公表され、予防に力をそそぐことで社会保障費を減らせることにもなるという説得もあったようです。

② 先駆的取り組みのモデル化

後述するように東京都荒川区のように医療と地域が連携を取る形や大田区の都市型モデル、東京都ではこころといのちの相互相談会などが定期的に開催されるといった見本ができてきました。富山では理容美容組合が自殺予備軍を発見するゲートキーパー研修を全国に先駆けて行ない、効果をあげています。

自殺の多くは追い込まれた末の詩で、自殺対策とは包括的な生きる支援です。誰だって死にたくて死を選んでいるわけではなく、生きる道を選択できるだけの支援を得られれば人は生きる道を選びます。その結果、自殺は減ると清水さんはおっしゃいます。彼がいつもこころに留めている言葉、それは父親を自殺で亡くしたある高校生のつぶやきです。

私のお父さんは年間三万人のうちのひとりかもしれない。でも私にしてみれば、たったひとりの父でした。あなたはかけがえのない人だということを思い出してください。


それでは地域ぐるみで自殺予防に取り組み、効果をあげている一例を紹介しましょう。

これまで自殺未遂者を行政が把握することは難しいとされていました。ところが東京都荒川区では三二人の自殺未遂者に面接することに成功しました。

❶救急病院との連携：自殺未遂者はまず救急病院に運び込まれます。その後の支援が必要な場合は、退院した後、家族か本人が役所に出向くしかありませんでした。しかし実際、役場にいったかどうかは行政側は把握できませんでした。そこで荒川区は救急病院と連携し、自殺未遂者が運び込まれたら区役所に連絡をもらい担当の保健師が患者のもとへ行って直接、面接をする仕組みにしました。そして原因は何なのかを聞いて、役所のできる支援策を紹介するのです。失業問題であればハローワーク、生活苦であれば福祉事務所や社協、多重債務者であれば法律の専門家、心の問題であれば保健師につなぐわけです。

❷役場の窓口で発見：ゲートキーパーとよばれる、未遂例を発見する

トレーニングを受けた職員を配置しています。未遂歴があるのでは、と気づいたら担当の保健師に連絡する仲介役になります。荒川区ではその研修を繰り返しおこない、もう七〇〇人以上が受けています。具体的にはハローワークの窓口で、問いに対してネガティヴな発言が目立ち表情も暗く、身だしなみにも気を使ってないように見えた方が来られたそうです。よく見ると首にロープを巻いた跡が見て取れたので、さらに場所を変えて担当保健師が、どうしたいのか本人の思いをじっくり話を聞く時間をつくりました。**傾聴**ですね。

すると本人自ら、人間関係の悩みから自殺未遂をしたことがあることを口にしました。ある職員はゲートキーパー研修を受けてから四人もの未遂歴のある人を発見し、生きる道につなげることに成功したそうです。

荒川区以外でも東京の足立区、秋田県、新潟県の旧松之山町など頑張って自殺を減らすことに成功した市町村が増えてきました。

富山市の理容美容組合は他県に先駆けて一足先に二〇〇七年（平成一九年）から自殺対策予防事業をスタートさせ、二〇〇九年から三か年計画で基金を創設して実施し、それまで毎年一〇〇人を超える自殺者があったのが、二〇一〇年には九二人とはじめて一〇〇人を切るという成果をあげ、最近の過去二年間で八人の自殺予備軍を見つけて、しかるべき施設に紹介できたとのこと。それで全国の理容・美容組合がそのノウハウを学ぶために富山詣でをしています。理容・美容院は定期的に市民が利用する場所ですし、利用者の表情の変化に気づきやすいところでもあります。定期的に、それも一時間もお互い接していると親密になるので、自然な会話の中にいつもと違うと気づきやすいのです。それでゲートキーパー研修を受け、傾聴の技術を学ぶと、その予備軍をみつけたとき、どうしたらいいかがわかり、対策が立てられるというわけですね。

二〇〇四年からそんな方々を支援するＮＰＯライフリンクを設立した清水康之さんは、もとＮＨＫのクローズアップ現代の報道ディレクターで自死遺児らを取材するうち、ほっておけないと二〇〇四年にＮＨＫを退職、みずからこの団体を設立し、二〇〇六年には議員立法でできた、自殺対策基本法制定の裏方として奔走し、翌年に自殺対策大綱が作成されました。二〇〇九年からは内閣府の自殺対策緊急戦略チームの参与として活躍しています。彼がいうには、ほとんどの人は死にたくて死んでるわけじゃない。多くの人は生きる道がない、死ぬしかないと思って亡くなっているから、死ではなく生きる道を選択できるように継続した支援をすれば、おのずと自殺は減るとおっしゃっています。

（**いのちと暮らしの相談ナビ**：http://lifelink-db.org/　よりそいホットライン☎0120-279-338　ツナグ・ササエルと覚えて下さい）

相談者はどこにいったらわからないが、全国には三万件もの相談窓口があります。何で悩んでいるのか、それを入力することで該当する窓口を探すことができます。残された遺族の方がいうには、「まさか自分の家族が…」と異口同音にいいます。だからまさかではなくて、「もしかしたら…」とちょっと心にかけてくれたらそれがきっかけになって貴い命が失われなくてもすむと思いますとおっしゃってました。

あとがき

著者の自己紹介をさせてください。

医学部を卒業して四一年、ベッドサイドでずっと患者さんを診てきました。また日本笑い学会副会長として笑いと健康について研究を続けています。また岡山の伊丹仁朗先生の提唱するがん患者の生きがい療法に共鳴して一九九七年にはガン患者一五名とともにモンブラン登頂一〇周年の記念登山、また二〇〇〇年夏にはガン患者二〇〇名とともに行く日米合同ガン克服富士登山にも参加しました。その伊丹先生と一九九一年に吉本新喜劇を見て大笑いするという実験をして有名になったのが、笑いは免疫力を改善するという『笑いと免疫能』について、日本で最初の医学実験でした。それ以来、笑いは健康にいいという知見がたくさん積み重ねられガン、リウマチ、糖尿病、うつなどにも効果が発表されてきました。また二〇〇三年には第一回千百人集会、末期がんから生還した方一二四名がガン闘病者一二〇〇名にその体験を語るという世界に例を見ない集まりにも参加し、ガンの自然退縮が少なくないことを知っています。そのコツに食を見直す、ライフスタイルを改め生き方を変えると人生が変わることもわかりました。

厚生労働省の以前の目標は生活習慣病を減らすこと、次はガン対策、そして今では毎年自殺する人が三万人を超えるということが現代日本で一〇年以上続いている原因としての「うつ」、つまりメンタルヘルス対策へ軸足を移しつつあります。またガンといわれて本人、まわりもブルーになってるという実態もあり、これらは切り離しては考えられないのです。

でも厚生労働省はガン治療は相も変わらず三大療法（手術・抗がん剤・放射線）オンリーですが、米国をはじめ欧米ではＣＡＭ（Complementary Altanative Medicine 補完代替医療）が半分にも達していて、その成果も目を見張るものがあります。米国のガン死亡率はこの一〇年、ずっと減少傾向にありますが、日本では医療費と同じく、毎年ガンで亡くなる方の数は右肩上がりで、それがマスコミで報道されるたびにやっぱりこれだけ医療費をつぎ込んでも、ひとたびガンになればダメなんだというイメージを作り上げてしまっています。前述したように末期ガンといわれて生還した方々はたくさんいます。二〇一〇年にも第二回千百人集会が横浜でＮＰＯ法人ガンの患者学研究所の主催で開催され、原因をあらためると自然退縮したり、ガンとの共生ができた方々がこれほど多くいるんだと確信しました。

また今では五年未満のガン患者数は一三七万人、五年を過ぎたガン患者は一六一万人にも達するというデータもあります。だからガン、即、死にいたる病いという発想は間違いということを知る必要があります。戦前の結核はまさに死にいたる病いでした。でも今でも新規に結核は毎年、一万人以上発生しているにもかかわらず、いい薬のせいで死病と考える人はいなくなりましたね。ガンもそういう道をたどると私は思っています。

また別の観点から見れば、毎年国家予算のかなりの割合を占める医療費、そのうちの薬代は膨大な額です。その中で売り上げを伸ばして笑いが止まらない製薬メーカーのヒット商品は抗うつ剤と抗がん剤のふたつです。そしてメーカーの半分は外資系だから、日本人を病気にして合法的に金を巻き上げてるという外国資本の下心が見えるのです。

『病みがい』という言葉、生きがいからできた言葉を前に書きましたね。あの千百人集会で、末期ガンから生還した患者さんは病気になって初めて見えてきたものがある。病気はメッセージ、それに気付いたときにひとは治り始めるといいました。そうしてウエラー・ザン・ウエルという言葉も提唱しました。ガンから生還した今の方が、ガンになる前よりももっといい人生だという意味です。それはガン・サバイバー、ガンから生還者した方々の共通した実感でした。また医療者にとっては目からウロコの思いでした。病気には意味があるなんて考えたこともありませんでしたからね。

ところが高血圧、糖尿病といった生活習慣病と違って死が頭をよぎるガンは、それまでの生き方を考え直させる素晴らしい病気なのです。他の病気ではそこまでは深刻に考えませんね。だからガンはいいんです。誰でも知ってる、『人には終わりがある、自分にも終わりがくる』ということを真剣に考えるようになるんです。でも「ガン」という音のヒビキがいやですね。これからは「ポン」と呼んだらどうでしょう。「国立ポン研究所」「肝臓ポン」なんて可愛いじゃないですか。

うつも同じように死にたいという気持ちにさせます。生きていて何の意味があると思い、何を食べても砂をかむようで味がない、眠れないという症状はひとを不安のどん底に落とします。でもそんなとき、うつは生き方を見直させる、メッセージを伝える病気だと気がついて、そこから立ち上がった方々は、ウエラー・ザン・ウエルということを学び、ブレることのない生き方に変わります。

人間は順風満帆でうまくいってるとき、自分自身を省みることをしません。ノープロブレム、何が問題あるんだというわけですね。でもそんなとき、人は成長しません。ただ、人間というのはうまくいかなくなったとき、初めて自分自身やこれまでの生き方を見直す機会になります。想定外のピンチに遭遇し、悩みます。八方ふさがり、もうどうにもならないと追い込まれることがあります。悩みというのは人生の宿題ですね。人はその都度、その都度、なすべき宿題が与えられます。その二十歳すぎの悩みは四十過ぎの悩みではありません。そのときにはまた別の悩みになっているでしょう。また四十過ぎの悩みは六十の悩みではありません。あの頃はよかったねとかえっていい思い出になってることすらあります。そうやってひとは悩むことで、自分自身を見つめ直し、成長する絶好のチャンスになります。それを乗り越えることで、自分自身をより強くするため、また人に優しくなるためのヒントが隠されています。成長するとは、『他人は自分の都合では動かない』という大人の常識を身につけることかもしれません。

「武士道」を書いた新渡戸稲造のなかに、山中鹿之助の有名な句があります。

憂きことのなほこの上に積もれかし　限りある身の力ためさん

自分のうつの体験を『ビジネスマンうつからの脱出』（創元社刊）という本にまとめた楠木新さんは、治るのではなく次のステップに進むことだといいます。ひとは誰かの役に立ってると自覚したとき、大きく変わります。阪神大震災で被災したけど、生き残った。被災者の役に立ちたいと走り回ってるうちに、みんなからありがとうといわれて気がついたら、うつから立ち直ってたという方もいました。うつは心の体力が疲弊しているので、笑うに笑えないのです。まわりにいるひとは黙ってそばにいてくれるだけでいい。それだけで安心感がある。気分は波があるものだから、波がゆるやかになるようにもっていけばいい。そのうち必ずもどります。ときが来れば気分は必ずよくなる。長いトンネルも必ず出口があることを信じて待つことです。

人生で起こることは、あなたにとってすべて試されごと！　さあ、どうする？　そのときに逃げてばかりいたら、いつか逃げられなくなるときがきます。どうせ試されるなら、ひとつやってやれ！　開き直ったところからあなたは変わります。身を捨ててこそ、浮かぶ瀬もあれ。浮かぶか沈むか、飛びこんでみなきゃわかりません。うつはあなたの人生の危機、ピンチです、危機の機は機会、チャンスの意味です。チャンスはチェンジ、そのライフスタイルを見直し、変えてみたらというメッセージです。チェンジはチャレンジ。いまは土砂降りかもしれません。でもやまない雨はないのです。前にも書いたようにぜひ童謡『アメフリ』の歌を歌ってください。

アメアメフレフレ、母さんがジャノメでお迎え、嬉しいな♪
ピンチ、ピンチ、チャンス、チャンス、ラン、ラン、ラン♪

木を見て森を見ずの言葉どおり、うつ病をきっかけにそれを治すことから、ライフスタイル、食生活のあり方、そして、なんのために生きているか、いや、生かされているのかを病いを通じてあらためて考える、そんな見方もこれからの生きるヒントになれば幸いです。
最後に『鬱』という字が書けますか。前述の里みちこ流にこの字をばらして覚えてみましょう。『林のなかで缶けりをしてワになって、コメディコーヒー、三杯飲もう』と覚えるとほら、鬱の字が書けましたね。コメディは※じるしです。

こんな遊びができたら、あなたはうつから卒業ですね。

山のあなたの空遠く　幸いすむとひとのいう…。

チルチルとミチルは青い鳥を探しに出かけ、身近なところに幸せがあると気づきました。

心病んだ人、人生の最大のピンチを最高の贈り物に変えることができた人には、こんなしあわせがあることがおわかりだと思います。

最後にもうひとつ。

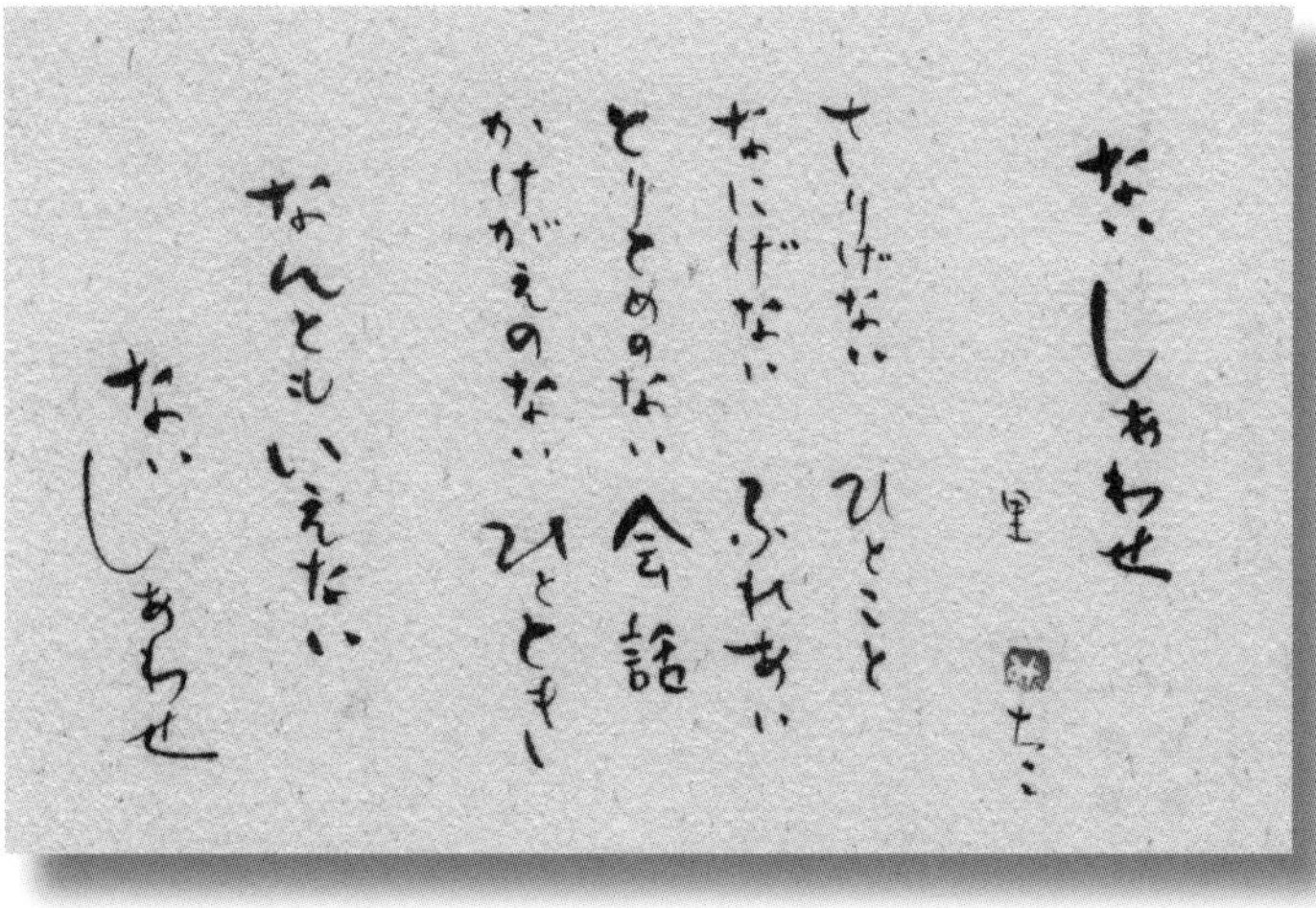
ないしあわせ
さりげない　ひとこと
なにげない　ふれあい
とりとめのない　会話
かけがえのない　ひととき
なんともいえない
ないしあわせ

参考文献

1. 藤田紘一郎：脳はバカ、腸はかしこい　三五館　2012年
2. 昇幹夫：過労死が頭をよぎったら読む本　河出書房新社　2000年
3. 功刀浩：精神疾患の脳科学講義　金剛出版　2012年
4. 有田秀穂・中川一郎：「セロトニン脳」健康法　講談社 α 新書　2009年
5. 岩村暢子：家族の勝手でしょ！ 新潮社　2010年
6. 小若順一・国光美佳：食事でかかる新型栄養失調　三五館　2010年
7. 溝口徹：「うつ」は食べ物が原因だった！　青春出版社　2009年
8. 大沢博：食事で治す心の病　第三文明社　2003年
9. 山田豊文：「食」を変えれば人生が変わる　河出文庫　2009年
10. 生田哲：砂糖をやめればうつにならない　角川新書　2012年9月
11. 竹下和男："弁当の日"がやってきた　自然食通信社　2003年
12. 安武信吾・千恵・はな：はなちゃんのみそ汁　文藝春秋　2012年
13. 今井一彰・岡崎好秀：口を閉じれば病気にならない　家の光協会　2012年
14. 西原克成：パニック障害、うつ病は腸のバイ菌が原因　たちばな出版　2012年
15. おのころ心平：病気は才能　かんき出版　2011年
16. ＮＨＫ取材班：ＮＨＫスペシャル　うつ病治療常識が変わる　宝島社 2009年
17. 土橋重隆：50歳を超えてもガンにならない生き方　講談社 α 新書　2012年
18. 森本兼曩：遺伝子が人生を変える　ＰＨＰ研究所　2001年
19. 清水康之・湯浅誠：闇の中に光を見出す　貧困・自殺の現場から　岩波ブックレット No.780　2010年
20. 田辺功・松澤大樹：心の傷は脳の傷　西村書店　2008年
21. 里みちこ詩集：玉繭　南天荘画廊発行　078-851-6729（神戸市）　2004年
22. 衛藤信之：今日は心をみつめる日　サンマーク出版　2010年
23. 志緒野マリ：観光バス車内での笑いと国民性についての考察　第8回日本笑い学会総会　福岡市　2001年

『うつを改善する食事力』

平成二十五年　五月五日　初版第一刷発行

著　者　昇　幹夫・渡辺雅美

発行者　和田佐知子
発行所　株式会社　春陽堂書店
東京都中央区日本橋三―四―十六
電話　〇三（三八一五）一六六六

デザイン　應家洋子
印刷製本　加藤文明社

ISBN978-4-394-90291-1